はじめの一歩

THE FIRST STEP!

生命保険で損をしたくないならこの1冊

国際保険総合研究所 所長
三田村 京 著

自由国民社

はじめに

「生命保険を見直す」という言葉が流行っている。

見直す、という言葉が耳に入って来ると、「俺の保険もそろそろ見直す時期なのかな」と思う人も多いらしい。

しかし本当の見直しとは、いま加入している保険をやめて新しい保険にすることではない。せっかく、検討して加入したのに時間の経過とともに保障が古くなったとしたら、それはその保険が最初から『目的に合致していなかった保険だった』という事だ。

本当に良い生命保険は、自動車やテレビのように、年月が経つと古くなって性能が落ちる、というものではなく、1,000万円の死亡保障の保険は、何年たっても保障金額が落ちるという事はなく、古くなるものでもなく価値が変わるものではない。

生命保険は最初の加入時に良い保険を選べば、その保険は一生涯他の保険に取り換えることなく、継続して保有していられるものだ。

それを「保険が古くなりましたから」とか「新しい保険にしませんか」というのは、現在の保険をやめさせて、「転換＝下取り＝コンバージョン」させたいからだ。

「転換」が、いかに加入者のためにならないかは、本書のなかで詳しく解説してあるが、「転換」すればするほど「ダメ保険」から「ダメ保険」へ綱渡りするに過ぎない。

保険選びは、はじめの一歩としての最初の保険選択が大事で、それを誤ると一生涯誤った道を進み、保険屋さんの餌食にされる事になる。

いま現在加入している保険を見直さなければならない

としたら、本書を参考にして、ここから「はじめの一歩」を歩み出していただきたい。

　最近の世間の風潮は、価格の安いモノ志向が強くなっているが、生命保険の世界でも、その波の中にあって感心できない所がある。
　保険料の安い保険は、「平均寿命」という統計の数字を無視した保険で、保険料が安ければ安いほど、自分の老後の悲惨さを背負いこんでいるのだと知っていただきたいのだ。生命保険という商品は、すべて「統計による数字」から成り立っているのだという事を、もう一度確認していただきたい。

　生命保険は、本来は加入するあなたがた国民の一人ひとりの財産のはずだ。しかし今の保険のあり方を見ると、国民の財産ではなく、保険会社の財産であって、国民は生命保険会社への献金者でしかない保険商品に加入している。それに気が付かない国民があまりにも多いので、本書の「はじめの一歩」が大事なのだ。
　どうか本書を役立てて、あなたの家庭の幸福を築いていただきたい。それが筆者の最大の喜びなのだから………。

　　　　　　　　　　　　国際保険総合研究所
　　　　　　　　　所長　　三　田　村　京

目次

はじめに 2

第1章　初めて生命保険に入る前に

① 生命保険って、なに？ 8
② 私達は、何歳まで生きられるか 14
③ 保険金は、いくらあればよいか 17
④ 保険料を、どう考えるか 23
⑤ 保険料は、何歳まで払えばよいか 28
⑥ 加入する時の「告知」について 33

第2章　今ある生命保険のかたち

① 生命保険の歴史 40
② 主力保険という、化け物 45
③ 入ってはいけない保険のかたち 48
④ 目的に合わせて、シンプルに行こう 57

第3章　ダメ保険に入ってしまっていたら

① まず、保険証券を出してみる 64
② 保険の見直しとは、「転換」することではない 69
③ 「更新型」保険が、一番損をする 75
④ 「簡保」「共済」を、一生涯の保障にするな 79
⑤ 「ネット」で加入する保険の恐ろしさ 86
⑥ 対面販売、通販、銀行窓販の注意点 91

第4章　生命保険の基本を知ろう

① 基本の形は、たったの3種類　　　　98
② 養老保険　　　　102
③ 終身保険　　　　106
④ 定期保険　　　　112
⑤ 家族収入保険（収入保障保険）　　　　117
⑥ 個人年金保険　　　　120
⑦ 学資保険　　　　128
⑧ 医療保険　　　　132
⑨ がん保険　　　　139

第5章　生命保険会社の選び方

① 保険会社の見分け方
　（格付け・ソルベンシーマージン比率）　　　　144
② 責任準備金とは何か　　　　151
③ 生命保険契約者保護機構はあてにするな　　　　154
④ どの会社が危ないか　　　　158

おわりに　　　　167

第1章 初めて生命保険に入る前に

生命保険って、なに？

知ってみると、面白いもの

生命保険は老後を守る手段の一つ

　生活をするのに、あなたの財布には札束があふれ、使いきれないほどの財産があって財政的に豊かで老後の心配が何もなかったら、生命保険などに入る必要は薄いか、あるいは全く無いかもしれない（相続や事業継承の事は別にして）。

　しかし現実は厳しく、社会保障も混乱して成熟していない日本では、老後の経済的・健康的心配の種は尽きない。社会保険庁のデタラメは、多くの国民の年金に対して不安を与え、健康保険では「後期高齢者医療保険」などの混乱が収まらない。

　一昔前は、「老後は国の年金で生活して、足りないところを自助努力で」と言っていたが、今や「自分の老後を守るのは自分で、国の年金はお小遣いと思え」程度の認識でいないと、老後は貧しく寒い生活を送らなければ

ならなくなる。

結局、「あなたを守ってくれるのはあなた自身」でしかなく、自分で自分を守れなければ、悲惨な老後を覚悟しなければならない。

そこで自分と家族を守る方策の一つとして、上手に使えば生命保険はとても良い手段だ。

ところが頼りたいその生命保険が、近年は保険会社が破たん（すべて漢字系、8社）したり、消費者の将来をつぶす内容の保険を販売したりと、しっかりと見極めないと足元をすくわれるような状況にあって、それに消費者が気付かない現象がまん延している。

そんな中にあって生命保険を利用しなければならないとき、生命保険に対して「自分自身のしっかりとした知識と理念」が無ければ、常に保険会社と保険屋さんの甘言にだまされることになる。

生命保険というと、「難しいから」とか「考えるのが面倒」という人が多いが、それはあなたが貴重なお金を生命保険というドブに捨てることに気が付かないからだ。自分で働いて得たお金を大切にしたいと真剣に思うなら、生命保険の研究は、自動車のカタログよりも、携帯電話の取扱説明書よりもはるかに簡単で、数字で即座に保障の内容の良し悪しが分かって、「こんなに簡単なことだったの」と、保険にハマること請け合いである。

生命保険の定義

　生命保険は、歴史をさかのぼれば、古くはバビロンの王朝時代にまでさかのぼれるが、日本ではあの福沢諭吉が幕末当時、渡米訪欧後に発表した『西洋事情』外篇の中において、「相互扶助の法」としてイギリスの保険制度に触れているほか、第2回渡米後の1867年（慶応3年）に刊行した『西洋旅案内』の下の巻において、「人の生涯を請合う事」として、初めて生命保険を紹介した。

　そしてわが国最初の生命保険会社は、1881年（明治14年）7月9日に、阿部泰蔵その他の人によって設立された明治生命（現・明治安田生命）だ。

　その後、新規の保険会社が創立・吸収されながら1945年（昭和20年）に終戦を迎え、その後1947年（昭和22年）5月5日に設立された協栄生命を最後にして、外資系の生命保険会社が上陸するまで、漢字系（社名が漢字の会社）20社で「護送船団方式」経営で進んできた。

　ここで生命保険の難しい原理や歴史を勉強しなくても、生命保険とは簡単に言えば「健康な人が集まってお金を出し合って、不幸（死亡）に見舞われた者から順次お金を受け取る」という制度だ。

　加入するものは年齢・性別などの差があるので、統計を元にしてそれぞれ公平な掛け金を決める。

　しかし個人でその制度を維持・運営するのは困難なの

で、生命保険会社という企業に商品化してもらい、それに個人が加入する、と考えればよい。

こうして加入した生命保険は、加入したその日からいつ死亡しても保険金が保障されるので、図に描けば貯蓄の「積み重ねていく三角形」と違い、加入した「その日から保障を確保した四角形」と言われるゆえんである。

死亡保険と医療保険

生命保険は、人（被保険者）の死亡によって指定された人に保険金が支払われる『死亡保険』と、人（被保険者）の病気・ケガによって被保険者（自分）に給付金が支払われる『医療保険』の2つに大別される。

『死亡保険』は、人（自分・被保険者）が死亡した場合に、残された被保険者の家族または被保険者がお金（保険金）を渡したい人に、お金を確実に渡すために加入する。保険を掛けられた被保険者は、自分の死亡によって保険金が支払われるので、自分ではお金を拝むことはない。いわば「献身的」な保険とも言える。

これに対して『医療保険』は、人にお金を渡す目的で加入するのではなく、自分が病気やケガで入院・手術した場合に支払われる給付金で、闘病のためと病中の諸費用の補てんにという目的で加入する保険なので、こちらは「自己愛的」な保険と言える。

『医療保険』については紙面を別にすることとし、ここでは誰もが加入する生命保険のうちの『死亡保険』を中心に解説を進める。文中の生命保険とは、『死亡保険』のことと理解していただきたい。

生命保険は選択が大事

そもそも、人にお金を渡す目的がないなら、生命保険になど入る必要はない。

しかし、自分（一般的には経済主体者・夫）が死亡した場合に、愛する家族（妻や子供）が当分（大まかに計算された期間中、何も残された家族の全生涯を保障する必要はない）は生活に困らないようにする生活費、または子供が学業を全うするまでの学費・生活費を、貯蓄で賄うよりは生命保険で用意する方が、貯蓄を当てる場合の何分の一かの資金で目的を達せられる可能性がある。これが財産の有る無しにかかわらず、生命保険を利用する最大の利点だ。

そこで生命保険への加入だが、やみくもに種類を選ばず「何でも入っておけば」というわけにはいかない。目的に合わない保険に入れば、ドブにお金を捨てるに等しく、それが趣味だという人には何も申し上げることはないが、少しでも損はしたくないと考えるなら、本書を大いに役立てていただきたい。

自動車なら豪華な高級車であろうと軽自動車であろうと、タイヤが４本付いていて、目的地まで運んでくれるが、生命保険の場合は、加入する保険種類の選択を誤ると、前輪２本のタイヤが外れて、走行不能となることも否定できないのだ。

　どうしてそうなるのか。

　そんな状態に遭遇しないで済むためにはどうすればよいのか。本書を読み進むうちに、あなたは生命保険に対する知識が豊富になり、保険が面白くなり、ハマること請け合いである。

　生命保険のことというと、往々にして「自分の入っている保険」がどうなのかに興味の主眼が行きがちだが、それでは「木を見て森を見ない」状態になる傾向が強い。森を見ると、自分の木が良い木か良くない木か、具体的に適切に分かるようになる。

　同じ金額のお金を払って、金のスプーン・ナイフ・フォークで食事をするか、木のスプーン・ナイフ・フォークで食事をするかは、あなたの研究心次第だ。

　同じ金額のお金をせっかく払うなら、気分良く美味しい食事をしていただきたい。

　本書は、あなたのために役に立つことができると確信している。

私達は、
何歳まで生きられるか
長生きの恐怖にならないように

世界的長寿国、日本

　織田信長が桶狭間の戦いに出陣するにあたり、「敦盛」を舞った中で「人生わずか五十年、化天(けてむ)のうちに……」とのくだりがあるように、日本人の平均寿命は極端に短い時代もあった。

　終戦直後の1947年（昭和22年）の平均寿命は男性50.06歳、女性53.96歳だった。

　当時の平均寿命が極端に短かったのは、戦争で青年層・壮年層の男性の「戦死」が多かったのと、戦災による多くの国民の死亡の影響によるものだろう。

　それでも当時は従来よりも飛躍的に伸びていたのであって、1921年〜1924年（大正10年〜13年）では、男性42.06歳、女性43.20歳であり、今の感覚では考えられない短命だった。

しかし一昔ふた昔前に比べると、健康に寄与する医学が格段に発達し、栄養の点でも飽食といわれる現代では、平均寿命も**男性 81.64 歳**、**女性 87.74 歳**（令和2年度・簡易生命表）と、世界のトップをいく長寿国だ。

ただ、食生活の欧米化による変化（昔に比べて肉食が多くなった）の影響か、がんや糖尿病などの死亡率の高い病気に罹患する率が高くなった事実も無視できない。

それでも平均の数字を信じてそこまで長生きするとなると、65歳で迎えた定年後の生活をどうするのか、真剣に考えることは欠かせない。

さらに言えば、平均寿命というのはあくまでも「平均」であって、それより短命の人もいればもっと長命の人もいる、ということだ。

そして人が平均寿命まで生きた場合、その人はそこで本のページを閉じるように、「パタン」と人生が終わってしまう訳ではない。81歳まで生きた男性のその時点の平均余命（あと何年生きられるか）は8.7年あり、88歳まで生きた女性の平均余命は6.5年もある。

保険計算上の安全圏

つまり生命保険の有効期間（保障期間）は、最低でも「平均寿命 ＋ 平均余命」分がなければ安心とは言えず、男性は約90歳、女性は約94歳（この年齢を、筆者は

【保険計算上の安全圏】と称している）までは死亡保障を確保したい。

　安全圏まで保障を確保しても、それで万全というわけではない。それ以上、長生きする人もいるだろうが、これを安心の一応の目安と考えている。

　長生きすればしたで、その年齢まで生命保険の死亡保障を確保するために、保険料を支払わなければならない。その問題をどうするかも、とても重要な問題だ（本章の④、⑤で詳しく解説してある）。

　長生きは喜ばしいことだが、それは経済的にも健康面でも問題が無ければの話であって、経済的に生活が苦しかったり、健康面で不安を抱えているようであれば、長寿は喜びではなく長生きの恐怖ともなりかねない。

　そんなことにならないように、両親の死因、自分の体質、生活習慣（喫煙しているか、生活が規則正しいか、食事は偏っていないか）、職業上または日常のストレスなどを考えて、長生きするように頑張ろう。努力しよう。早死にしても、誰も喜ばない。

　生命保険の加入といつ（何歳）まで保障があればいいのかを考えるときには、いつまで保険料を払えばいいかということを考えねばならない。平均寿命という事と、給与所得者であれば「定年」という問題と、等しく誰にでも前述の【保険計算上の安全圏】がとても重要なポイントになってくる。

　それを順次、分かりやすく解説していきたい。

3 保険金は、いくらあればよいか

自分の甲羅に合わせた穴でよい

大事なのは「支出のバランス」

　自分が働いて得る「労働対価」は、自分自身が自分の能力・限界を知っているので、法外な対価を求めることはあまりできないし、観念的にも妥当なところで落ち着くものだ。

　しかし親から小遣いをもらったり、宝くじの当選や馬券が当たるような「不労所得」は、欲望に際限が無く、1円でも多くと望むものだ。

　生命保険金の受取りの場合も、受取人自身が保険料を払った保険の保険金を受け取るケースより、夫や親が保険料を払ってくれた保険の保険金を受け取るケースの方が圧倒的に多く、いわばその場合の保険金は「不労所得」に近い。1円でも多く欲しくなるようだ。

　であるから、親が死亡して死亡保険金を分割するような場合も、均等でなければ「お兄ちゃんのお菓子の方が

大きい」というように、相続が兄弟姉妹の亀裂の始まりとなることは、珍しいことではない。

　今、生命保険に入ろうとするとき、保障額は一体いくらあれば安心できるのだろうか。

　生命保険会社の営業員に生命保険の設計を頼むと、「ライフサイクル」とか称して末子が成人するときに世帯主の年齢がどうの、世帯主が死亡したらその後の生活費はそれまでの7割だとか、まるで列車の時刻表のようなグラフを作ってくれる。そして「この表を見れば分かるように、必要額は4,000万円です」とか「5,000万円の保障がないと心配です」というような高額なお告げをされる。また、加入者の条件は変わらないのに、設計書を作成する保険屋さんによって設計金額が変わることもあり、不可解だ。

　保険屋さんの設計したとおりの金額で保険の加入をするには、1か月のうち10日ぐらいは水だけを飲んで暮らさないと、とても捻出できない保険料が示される。保険屋さんの設計どおりに保険に入っていたら、保険に加入するために破産するのは避けられない。無駄な数字ゴッコ遊びだ。

　実際問題として、もし、一家に夫の生命保険が無かったら、夫の死後、その一家は路頭に迷うか無理心中でもしなければならないか、というと、そんなことは、まず、無い。

　経済主体者を失った家庭では、子供は、予定していた学業の進路変更を、余儀なくされるかもしれない。が、妻は夫の遺族年金もあるだろうし、職を選ばなければ、働くこともできるだろう。再婚もあり得る。

そうして考えると、経済主体者が欠けてしまったら、取りあえず生活を立て直すまでの期間、当座２年〜５年分ぐらいの生活費を確保できれば、良しと考えてもよいと思う。何も万単位できっちりとした数字を出さないからと言って、それがいいかげんだということにはならない。

もちろん、保険屋さんが作ってくれたタイムテーブルのとおりに保険に加入できる経済力があるなら、余計な説法かもしれないが、それならそれで、無駄のない保険に入りたい。

そして保険を選択するのはあなた自身であって、断じて保険屋さんに押し付けられた（設計された）保険であってはならない。

保険金は多いに越したことはない。

だからと言って、生命保険の保険料のために家計が圧迫されて、将来は明るくなるからと現状が悲惨な生活を送るのは、本末転倒というものだ。

逆に現状の生活が楽天地で充分にエンジョイしているのに、将来の備えを何もしないのは、目的地は100キロ先なのに、ガソリンを買うお金は50キロ分しかないまま出発するのに等しい。

自分の経済力の中で、現在の生活の質をあまり落とさずに、なおかつ将来に対する備えも怠らないように支出のバランスを考えて、将来に対する経済的な安心も確保すれば、それが現在の安定にもつながることになる。

証券は
別々が理想

　本章の❶でも解説したように、『死亡保険』は被保険者（この場合は経済主体者、一般的には夫）が死亡したときに誰か（一般的には妻、または子）にお金を残してやる保険だ。

　残してやるといっても、家族全員に平等という例は少ない。

　例えば残された者が妻と子二人で保険金が2,000万円なら、妻が1,000万円（全体の50%）、子が一人500万円ずつ（一人25%ずつ）というような分け方をしているようだ。

　このように、ある意味では納得できる分配なら紛争も起きにくいが、分配のパーセンテージに差があると、親子兄弟の「争続」の元となり、亀裂の原因となる。

　親も人間で感情を持った動物であるから、子供が複数いれば、可愛がり方や愛情の掛け方に差があっても不思議ではない。親と一緒に暮らす年月が短いのだから、お兄ちゃんより弟に多めに渡したいと思えば、不労所得なのに平等じゃないと兄は不満に思うかもしれない。

　こういう不満や紛争を避けるためにも、生命保険は渡したい人一人ひとりに、別々に証券を分ける加入の仕方が正しい。

　しかし現実を見ると、妻には自分（被保険者）の一生

の間の保障を、子供には学業を終えるまで、というように保障を与える期間も金額も違うのに、一家に一証券という例が圧倒的に多く、合理的でない。

　誰に、どんな保険をどのくらいの金額でいつまで、というのは、次の「目的に合致した保険は？」の表を見ていただければ、おのずから何をどう選択すればよいか、分かるようになると思う。

　無理をしてはいけない。しかし入れるものならできるだけ頑張って入っておく。それが将来の安心度を高める秘けつだ。

目的に合致した保険は？

保険種類の選択を誤らないように　→　すべて単体保険（ほかの保険と組みあわせない）での加入が望ましい

保険の種類	保障の目的	特　徴
終身保険 （貯蓄性高い）	妻や子への生活保障	一生涯の死亡保障・貯蓄性も高く年金への移行もできる。「基礎保障保険」に最適
	相続対策	相続させたい額を確実に渡せる相続配分のアンバランスの調整
	相続税対策	相続税納付資金の準備に最適
	企業（事業）存続維持対策	運転資金や信用回復つなぎ資金
	役員退職金対策	役員への退職準備資金 会社の体力増強に役立つ
	死亡保障を兼ねた貯蓄	死亡保障を得ながら貯蓄もできる
養老保険 （貯蓄性高い）	子への独立資金援助	子への結婚資金・独立開業資金
	妻や子への計画的贈与対策	妻や子へ計画的に贈与できる
	満期保険金による使途目的	将来計画的に資金が必要なとき
定期保険 （かけ捨て保険）	期間限定の死亡保障	一生涯の死亡保障には不向き 期間限定の死亡保障に威力
	子への教育資金保険 （逓減定期保険）	年々減少してもよい教育資金の保障に最適
	事業の拡張期対策 （逓増定期保険）	事業拡張期の死亡保障増大に最適 期間限定がよい
生存保険	あまり利用価値なし	ほかの保険ほどの利用価値なし この保険の存在価値は薄い
生活保障保険 （かけ捨て保険）	妻や子への生活保障対策	生活の安定に寄与
	（連正型）	障害を持つ子のためや老後の独居親の生活保障に最適 年金受取者が先に死亡の場合は保険料が全額返ってくる
生前給付保険	三大疾病（がん、脳血管疾患、心臓病）の闘病対策	三大疾病に罹患すれば給付される 闘病生活に役立ち見舞金扱いなので無税。掛け捨てもある。
学資保険	子の教育資金対策	ほとんどの会社の保険と簡易保険が元本割れでとくに注意
個人年金保険 （貯蓄性高い）	自分の老後の生活保障準備	公的年金では不足する豊かな老後の生活確保のための自助努力
	夫婦の老後の生活保障準備	
医療保険 （自分のための保険）	病気・ケガの入院対策	自分のための保険…加齢するほど必要度が高くなる。「基礎保障保険」の一つで所得補償的な保険…10年満期繰り返しや終身払いは避ける

4

保険料を、どう考えるか
節約するための、基本知識

初めが肝心

　初めて生命保険に入るシーンは、大方の人々は学校を卒業して社会人になった時だろう。

　職場の昼休みに机の周りを蝶のように舞いながら、「社会人になったのですから、これから責任も重くなるわよ。しっかりと保険に入って責任を自覚しなければ……」と言う保険屋のおばさんに、カラフルな設計書を見せられて生命保険を勧められ、誰に何の責任を負うのか分からないうちに、契約申込書にサイン・印鑑を押してしまう。「誰々さんも入ったのよ」と言われると、自分だけ乗り遅れるのはまずいかな、とも思ってしまう。

　受け取った保険の設計書は、何がどう保障されるのかさっぱり分からない。分かるのは示された保険料が、自分の給料の10分の1に満たない金額だから、何とか払えるな、という意識だけだ。

つまり、この最初の時の保険に対する意識の第一義が「この保険料なら払えるな」という、いわば鳥が生まれて初めて見たものを自分の親と思う「刷り込み」と同じで、この初めの一歩があなたの一生の保険の歴史を左右してしまう。

　こういう意識で保険に入った人は、それ以降も、保険のことを考えるたびに、頭に真っ先に思い浮かぶのは「保険料」のことだけだ。大切な保障の内容や質や保障期間、さらには保険料の支払い期間には思考が及ばない。

　そして「まだ独身だから、死亡保険金の受取人は、今は誰もいないけれど……」と言うと、保険屋さんには「結婚するまではご両親にしておいて、ご結婚されたら奥様に変更されれば」と勧められ、ああ、なるほどと妙な納得をしてしまう。

保険料の基本的な考え方

　保険料とは、自分が契約した保障の内容に対して支払う対価のことで、その金額も大事だが、受け取れる保険金や給付金よりも多く保険料を支払うような保険は、コストという点からも芳しくない。結果として、最終的には「貯金しておいた方がよかった」ということにもなりかねない。

　加入する保険に対して、その保険料が適正か不適正か

を知るには、計算機に数字を打ち込むだけで、簡単に答えは出せる。小学生でもできる計算だ。本書を読んでいるあなたも、今まで保険屋さんから設計書をもらったとき、一度でも計算機に数字を打ち込んだことがあっただろうか。振り返っていただきたい。これは大事なことだ。

保険会社が保険料をいくらにするか決めるのは、基本的には「簡易生命表」をもとに、①年齢・性別ごとの死亡率による差別と、②預かった保険料をあらかじめ予定した運用率（予定利率という）により算出した額、③さらにそこに自社の事業費を付加して、決めている。

①は、死亡率をどの会社でも高めに設定してあるので、実際の死亡者が予定よりも少なければ、会社はもうかることになる。

②は、運用率を予定して、保険料からその分をあらかじめ差し引いて保険料を徴収しているので、予定運用利率よりも実際の運用率が良ければ、その分、保険会社はもうかる。逆に予定利率よりも運用率が悪ければ、差額は会社の持ち出しとなる。これを「逆ザヤ」と言う。

③は、事業費をどの保険会社でも高めに設定している。予定した事業費よりも少ない事業費で済めば、差額は会社のもうけとなる。

生命保険の保険料はこの３つからなっており、同じ保険であり同じ予定利率でありながら、会社によって保険料に差が出るのは、主に③の違いによることが多い。つまり会社の運営費が多く見込まれているということだ。

以上の理由によって分かるように、保険に加入するときは、その保険の「予定利率」が何パーセントなのか、忘れずに必ず質問しよう。予定利率を即答できない営業

員から保険に入ってはいけない。

　そして加入しようと考えたものと同じ保険で、違う会社の設計書も取り寄せて、比較することも大切だ。保険料を比較するだけでも、その会社の保険に対する姿勢も見えてくる。

保険料の支払い方法

　加入する保険が決まっても、その保険料をどのように払うかで、その金額も違ってくる。

　保険料の支払い方法は、「回数」と「経路」に分けられている。

> 「回数」→①月払い、②半年払い、③年払い、④一時払い、⑤前納、がある。
> 「経路」→①口座振替、②給与引き落とし、③集金、④送金、⑤持参、がある。

　保険料の計算基準は年払いで、配当金や解約返戻金（かいやくへんれいきん）もこれで計算される。「経路」での保険料の差は原則として無いが、「回数」では①から④にいくほど割引率が高くなり、⑤も若干の割引がある。

よく混同されるのが「前納」と「全納」、および「全納」と「一時払い」だ。

　「前納」とは、①、②、③の保険料を、任意の期間分だけ「前払い」することで、何回分でも良い。「全納」とは、その保険の保険料支払いの全期間分をいっぺんに支払うことで、正確には「全期前納」と言う。

　もう一つ間違えやすい「全期前納」と「一時払い」だが、どちらも保険料支払い期間の終期までの保険料を完納することに変わりはないが、「一時払い」は「契約上、いっぺんに払いますよ」という払い方なので、契約の翌日に死亡しても、保険金は支払われるが一時払いの保険料は１円も返ってこない。

　これに対して「全期前納」は、①、②、③の保険料であれ、「保険料は全期間分預かりましたが、その中から保険料支払い応答日に保険料分を取り崩し、充当します」という契約で、契約応答日（契約始期日）に預かった前納保険料の中から契約分の保険料を組み入れる。残りの預かり分は決められた利率で殖やし、毎年（または毎月）これを最終振替まで繰り返す。契約の途中で被保険者が死亡した場合は、残っている預け金は死亡保険金と一緒に返還されるので安心だ。

　保険料一つ払うにも、これだけの方法があり、有利不利があるので、一度研究してみてはいかがだろうか。

保険料は、何歳まで払えばよいか

早く払い終わるのが、大原則

保険料の
カラクリ

　生命保険に加入すれば、契約した保険金あるいは給付金が保障される。

　保障される対価として、契約者は「保険料」を支払う義務が生ずる。

　保障の期間や内容も、加入する保険によってまちまちであるように、保険料の支払い期間もまちまちだ。最短は1年ごとに更新する〔定期保険〕から、一般的な保険では3年、5年、10年、15年、20年、25年、30年という**「年単位」**と、50歳、55歳、60歳、65歳、70歳、75歳、80歳という**「歳単位」**とがある。この他に、一生涯保険料を払い続ける**「終身払込」**がある。

　これらは、その保険に加入する「目的」と「目標」によって選択すればよい。

　さらに詳しく言えば、〔貯蓄性のある保険〕（養老保険

や終身保険・個人年金保険や学資保険など）では、保険料払込期間が長ければ長いほど、期間の短いものより1回ごとの保険料は少なくて済む。

それは100万円を5年で貯めるのと10年で貯めるのでは、1回ごとの積み金が違うのと同じだ。

払う期間が短いと1回ごとの保険料は多くなるが、支払い終わった時点の「合計保険料」では、短い期間で払った方が少なくて済む。つまり「保険料が高いから」といって1回ごとの保険料の低い支払い期間の長いものを選ぶと、合計保険料は多くなり、期間も長く支払っていかなければならなくなる。

貯蓄性のない〔掛け捨ての保険〕（定期保険など）では、貯蓄性の保険とは逆に、払込期間が長ければ長いほど、1回ごとの保険料は多くなることを、知っておきたい。

払い方の鉄則

もう一つ大切なことがある。保険料の支払いで絶対に避けていただきたいのは、

① **保険料払込期間〔10年〕 ➡ ✕**

この払い方が、あらゆる支払い方の中で、一番不経済な支払い方。10年ごとに年齢が10歳ずつ上がった保険料となり、高齢になると払い切れなくなる。平均寿命ま

で払うと、保険料合計が保険金額を超えてしまうことが多い。この払い方の保険は、ほとんどが「掛け捨て保険」だ。保険料を2か月滞納すると、失効してしまうことも重要だ。さらに10年ごとにリセットされ、〔定期保険〕では満期保険金も解約返戻金もなく、全てがゼロになる。

② **保険料払込期間〔終身〕 ➡ ✕**

目先の保険料は一番安い払い方。加入者も、つい、安い保険料につられて加入しがちだ。だが、〔終身払込〕という払い方は、言い換えれば「死ぬまで払いなさい」ということで、定年後で収入がなくなっても、年金生活に入っても、死亡するまで払い続けなければならない。

平均寿命や保険計算上の安全圏まで支払うと、60歳や65歳で払い終わる保険よりもはるかに多い合計保険料になる。①に次いで入ってはいけない支払い方だ。

この払い方は、よく、「保険料は一生変わりません」という言い方がされていて、いかにも「だから安心ですよ」と思わせている。

では、保険料は何歳までに支払うのが理想的か。

結論から先に言えば、「働いているうちに、払い終わりなさい」ということだ。

働いているうちにといっても、働いていれば何歳でもよいというわけではない。

保険料を払うことと、保障がいつまであるかということは車の両輪と一緒で、支払い終わったとたんに保障も無くなってしまうのでは、走っているうちに車のタイヤを外されたようなものだ。

常識（理想）を言えば、保険（死亡保険でも医療保険でも）は『**定年に合わせて65歳で払い終わり、その後も一生涯の保障が続くこと**』である。つまり働いているうちに払い終わり、あとは惰力で終点までたどり着ける、ということが大切だ。

　そうすれば、年金生活に入ってまで保険料を延々と払うことはなくなる。

　結論として、

③ 『**どんなに遅くても、定年（65歳）までに払い終わりなさい**』 ➡ ○

ということだ。

　いま、定年が55歳や60歳の人でも、「高齢者雇用促進法」という法律がすでに施行されており、2010年には『賃金、福利厚生、退職、昇進、配置、教育・訓練など、全ての段階において年齢を問わず、差別が禁止』されている。

　したがって、現在の定年が何歳であろうと、何らかの形で65歳までは働く（賃金を得る）ことができるので、生命保険の保険料支払いも、遅くても65歳で払い終わることが望ましい。

　間違っても、上記①②の払い方の保険には、入ってはいけない。

　「そんなことを言っても、①や②の払い方なら保険料が安くて払えるけど、65歳で払い終わる保険料は高く

て大変だ」という声も聞こえるが、「ちょっと待って。計算機を出してみて」と言いたい。

　確かに月々の保険料負担は少々多くなるが、①や②の払い方で、どれだけ多くの保険料を払うことになるか、計算機が示してくれる。目先、高いと思える③の保険料合計額が、いかに少なくて済むか、きっと驚かれるだろう。

　これを機会に、渡された設計書であれ新聞の保険の広告であれ、必ず計算機を片手に計算しながら読み進む習慣が身に付けば、その保険の本質が見えてくるし、その保険を通して保険会社の姿勢も見えてくる。

6 加入する時の「告知」について

入ってしまえばこっちのもの、は大間違い

告知は絶対に正直に！

　あなたがイケメンの男性と、男性ならすごい美人とお見合いする時、相手が性格の欠点や病気を隠していたら、どう感じるだろうか。結婚してから「こんな筈じゃなかった」と後悔しても、「詐欺だ」と騒いでも、失われた日々は返ってこない。できれば見掛けどおりに穏やかな性格で、充実した美しい日々が送れたらと思うに違いない。

　生命保険に加入する際の「告知」も、これととてもよく似ている。

　生命保険は、本来は健常者だけの集団で構成されるものだ。したがって、何らかの病歴があったり、現時点（加入申込み時）で体調が悪い人は排除されるのが原則だ。

　しかし病歴があったり現時点で体調が悪くても、その程度や部位によって査定し、その程度によって〔無条件〕から〔条件付〕そして程度が進行しているようだったら

〔謝絶＝加入お断り〕と段階的に差を付けたり排除することもあり、健常者との公平性を維持する手段をとる。

こう解説すれば、「告知」がいかに大切なものか、理解できると思う。

しかし「告知」をごまかしたり無申告を決め込む人は、分かってしまったら保険に加入できないか、または条件が付くことを心配する、健康に何らかの欠陥がある人だ。

「告知」をごまかしても、「保険に入ってしまえば、こっちのもの」と思っている人が、意外に多いのには驚く。そう思っている人には、次のことを告げたい。

今、あなたを含めて健常者だけの10人の集団の中に、あまり長生きしない（あなたより先に保険金を受け取るような）病気を持った人が、それを隠してあなたのあとから集団に入ってきたら、あなたはどう感じるだろうか。きっとあなたは、その人に対して不公平を感じて文句を言うだろう。

「告知」をごまかすということは、以上の状況と全く一緒であって、排除されて当たり前の行為だと分かる。

でも、本人は入ってしまえば「しめしめ」と思うかもしれない。黙っていれば誰にも分からないだろうと。

ところが、うまく潜り込んで入っても、保険は入っただけでは何の価値もない。入った時は分からなくても、死亡や病気やケガなどで保険金や給付金を受け取ることができなければ、絵に描いたモチと一緒で、何の役にも立たない。

「入ってから何年も経てば、分からなくなるだろう」と思っている人がいるなら、それは愚かな考えですとお

知らせしておこう。

　生命保険会社は人が保険に加入すると、最近は加入者の契約内容などを、生命保険協会に登録する仕組みになっている。

　さらに保険金・給付金の支払い請求がなされた時には、保険会社は「支払査定時照会制度」によって照会し、他社に支払い経歴があったかどうか調べる。つまり告知を正直にしなかった契約は、「正当なる不払い」ということで、支払いを拒否されることになる。そういう契約は無効にされ、それまで納めた保険料が没収されることもある。

　このように、「告知」を正しくした契約は保険金・給付金が即座に支払われ、「告知」や診査で虚偽の申告をした契約は、厳密な調査や審査をされて、支払いを拒否される可能性が高くなる。この流れを受けて、誰でも（病気があっても）簡単に入れる保険は支払い時の審査が厳しく、告知や診査が厳しい保険ほど、即座に支払われると言われている。

　言い換えれば、「入り口が広ければ出口は狭く、入り口が狭ければ出口は広い」のだということを、心に留めていただきたい。

風邪と高血圧

　保険の加入申込みをするとき、風邪を引いていたら「告

知」をしたり「診査」を受けてはいけない。

　営業員の中には、「風邪ぐらい黙っていれば分かりませんよ」と自分の成績の都合で契約を急がせる人もいるが、あらゆる重大な病気の初期の症状が「風邪」のような症状から始まるから、保険会社は風邪というだけで、加入をとても嫌う。　そのためにほとんどの保険会社は、風邪を引いている人を「延期体」といって、現在の症状が完治してから再度お申し込みくださいということになる。それでも無理に申し込めば、「謝絶＝加入お断り」にする。その先、風邪がどういう病気に変化するかわからないからだ。風邪を大したことないと契約を急がせる営業員は、あなたの幸福よりも、自分の成績が欲しいだけだと思って間違いない。そういう営業員とは絶交した方がよい。

　またほとんどの人が、加齢とともに血圧が高くなる傾向は避けられない。

　血圧が高めの人が保険に入ろうとするとき、かなり以前から高めなのに、「最近の過労で急に高くなって、上が150、下が90で、」と、一過的であることを強調したがる人が多い。本人は「しばらくすれば元に戻って低くなるはずだから」と言いたいのだろう。

　しかしこのケースでは、完全に「謝絶」だ。

　まず血圧のことだが、一過的に高くなったとしても、保険会社から見れば「何で高くなったのか原因が確定できない。これからどう変化するか分からない」と不確定要素が多く、血圧が低下する傾向もなければ、謝絶となるのだ。

かなり前から血圧は高くても、健常者と同じ無条件で加入することもできる。

それは、いつから高くなったのかハッキリ分かっていることと、そのときからキチンと診察を受けて医師の指示どおりに降圧剤を服用し、常にちゃんと「健康管理」されていればOKなのだ。高血圧だからといって、こわがることはない。

もう一つ、このケースでは「過労」という言葉が出てくる。

「過労」は病気じゃないと一般の人は思いがちだが、「過労」は英文辞書にも出てくる世界語で立派な病気の一つだ。しかも生命保険の世界では、「過労」は「自殺」につながる症状としてとても嫌われる。保険会社は老衰で長い先に保険金を支払いたいのに、短い人生で早々と保険金を支払うのは歓迎しないのだ。

こんな人も要注意

ついでに記せば、一般の人が病気でも何でもないと思っているのに保険会社が嫌う症状等に、「鬱(うつ)」「過度の睡眠不足」「更年期障害」「喘息(ぜんそく)」「刺青(いれずみ)」がある。

前4つは、どれも自殺につながる恐れがあるからだ。発症しただけでは「謝絶」にはならないが、診察を受け

て**投薬（どんな軽い薬でも）された段階**で「謝絶」となる。また「刺青＝タトゥー」は潜伏期間が長く治療が困難な「C型肝炎」の発症が心配されるからだ。

　最後にもう一つ付け加えると、健康診断や集団検診で「要・観察」「要・検査」などの指摘を受けたので、病院へ行って検査を受けたが「異常なし」と言われたようなケースだ。

　このケースで保険加入を申し込むと、ほとんどの会社は「条件付で引受け」となる。

　「異常なし」といわれたのに「条件」が付くのは納得できないと、多くの人が抗議する。

　しかしこれは、保険に入りたい方と引き受ける方の立場の違いによるものだ。

　保険会社の立場から見れば、指摘されたとおりに検査をして「異常なし」といわれても、異常であったかなかったか「指摘された」ことが重要で、指摘された原因がその後どのように進展するか不明だからだ。

　このように考えると、本当は「入り口が厳しい会社ほど信用でき、入り口が緩い会社ほど不払いを覚悟」した方がよいようだ。

第2章 今ある生命保険のかたち

生命保険の歴史

一応は知っていても、損はない

保険の起源

　生命保険とは、一体いつごろ何が目的で生まれたのだろうか。
　細密に勉強するとなると、それだけで一冊の本になるくらい、いろいろな歴史や資料を読まなければならない。
　もし、今の世界に保険という制度が無かったら、経済活動は現在ほど発達はしなかっただろう。
　では、どんな歴史を刻んで、今日の保険制度が発達してきたのであろうか。

　ごく簡略に触れれば、大体14世紀の初めのころ、当時の海上貿易の中心であったイタリアの沿岸都市（ピサ、ジェノバ、フェレンツェ等）において成立した海上保険が、人間社会に近代保険が存在した初めとされている。
　しかしもっとさかのぼれば、保険という形ではないに

しても、紀元前2500年ごろバビロンの時代に、国王が僧侶、法官または市長村長を管理者に任命して、その管下の住民から賦課金を徴収させ、火災その他の天災による損害を救済させたことが記録として残っている。

紀元前1000年ごろ、ヘブライ王ソロモンは、国民の海上貿易を保護するため、輸出税のような賦課金を納付させて、海難に遭遇した者に補てんを与えたと言われている。

さらに紀元1世紀頃のローマにおいては、一定の入会金および会費の支払いによって、組合員が死亡したときに、遺族に対し葬儀料を支払った葬儀組合とか、また帝政ローマ時代には、ローマの兵士から入会金を取って、兵士が他の兵舎に移駐を命じられた場合に旅費を、または戦地以外で死亡した場合には、一定金額を遺族に支給した兵士組合とかの救済制度が存在した記録がある。

しかし古代においては、真の保険制度は成り立たなかったようだ。

その理由の根源として、宗教的・精神的な影響が強かったことを見逃すわけにはいかない。

それはキリスト教においてもマホメット教においても、「災害をもって神慮の致すとし、人智をもってこれにみだりに干渉を加えることは、神慮への一種の冒とく」と考えられていたからだ。

年代を経て、中世におけるギルド（同業組合あるいは共済組合など）が発達し、それが漸次分化して、種々の原始的生命保険へと進化・発展していく。

そして英国の友愛組合、ドイツの扶助金庫などが発展し、各種の「原始的保険制度」を培ってきた。

近代保険にはまず英国を中心とした「営利主義的保険」の流れがあり、もう一つの流れはドイツに始まる「相互主義保険」だ。この二大潮流の源とも言うべき英国とドイツを中心とした保険を手本にして、「近代保険」がわが国に導入されたのは明治維新のことだ。

第1章の①に書いたように、日本での最初の生命保険会社は明治生命（現・明治安田生命）だが、1947年（昭和22年）に協栄生命が誕生して国内の漢字系20社になるまでには、愛国生命、京都生命、真宗生命、護国生命、北海生命、日の出生命、徴兵保険、国光生命、東海生命、蓬莱生命、満歳生命、横浜生命、太平洋生命、大安生命，同胞生命など、その他珍しい聞いたこともないような名前の生命保険会社が乱立し、統合、合併、改称を繰り返してきた歴史がある。

漢字系生保の破たん

そんな難しいことは抜きにして簡単に言えば、前にも触れたが、生命保険は「無尽」（別名・頼母子講＝仲間や隣組あるいは商店主がグループを組み、同額のお金を毎月出し合って、毎月抽選に当たった者が全額を順次受け取る仕組み）の発展したようなもので、「加入したらお金を支払い、先に死亡した者から順次お金を受け取る」というシステムだ。

保険の場合は、加入者の性別・年齢・健康状態などの差があるので、保険料で差別する。

　しかし生命保険を始めようとグループが集まっても、人数が少ないと運営上の破たんの危険が多いので、生命保険会社という大きな組織を通じて大勢が加入し、大数の法則で安全度を高めて運営される。

　そして日本の保険会社は、戦後は一貫して「護送船団方式」（各社の経営力に差があり、放任すれば配当力の強い会社に契約が集中してしまうので、一番配当力の弱い会社の速度に、全社が船足をそろえる）で進んできた。

　しかし黒船来襲のように、外資系生保が上陸し（1973年〈昭和48年〉アリコジャパン、1974年〈昭和49年〉アフラックが日本での営業開始）、パイを奪い合うようになったことと、放漫経営に加えバブルがはじけたことなどがあり、日産生命が1997年（平成9年）4月に日本の生命保険会社として初めて破たんした。

　それから1999年（平成11年）6月に東邦生命、2000年（平成12年）5月に第百生命、同年8月に大正生命、同年10月に千代田生命、協栄生命が、翌年（平成13年）3月に東京生命がというように、7社が次々と破たんした。

　そして2008年（平成20年）10月、今度は大和生命が破たんした。

　破たんした会社を見ると、その全てが漢字系生保（社名が漢字の保険会社）だけであるのも、とても象徴的なのだが、それにあなたは気付いたであろうか。

　なぜ、破たんするのは漢字系生保だけなのであろうか。

答えは簡単だ。それは、

> ① 戦略・戦術が旧態依然としていて、時代に取り残されている
> ② 商品体系・商品内容が顧客本意でなく、完全に利益追求型商品の保険の販売に重きを置いている
> ③ 人海戦術のジレンマに陥っている
> ④ 資金の運用が下手
> ⑤ 経営・商品・営業・ケアの全般にわたって、顧客本位の理念が無く、あるのは数字第一主義と利益追求だけである

以上の理由からだ。

現在（令和4年7月）、日本には40社を超える生命保険会社があるが、うち10社が漢字系生保であって、あの巨大な日本生命といえども、上記の①～⑤が、これから10年～20年、いや、あなたが生きているうちに改善されるとは、とても思えない。

生命保険会社の選び方は、第5章で詳しく解説する。

② 主力保険という、化け物

見かけは良くても、性格の悪い人のようなもの

「定期保険特約付終身保険」の誕生

　生命保険の世界では、いろいろな形の保険が商品化されている。

　戦前（昭和20年以前）は、生命保険といえば〔養老保険〕が主流を占めていて、少量の〔終身保険〕〔定期保険〕が追随する形だった。

　その形がガラリと変わったのは1968年（昭和43年）7月、日本生命が〔養老保険〕と〔定期保険〕を1対1で組み合わせて、〔ニッセイ暮らしの保険〕という【抱き合わせ保険】を発売したのがきっかけだ。

　当時は、国民の生命保険に対する意識も低く、〔定期保険〕は定期という名前がついているので、銀行の〔定期預金〕と似たようなものだと思う人もいたほどだった。そして〔定期保険〕は満期が来ても満期保険金が無いし、途中で解約しても解約返戻金も無いと不満が続出した。

保険会社はこれに対して保険の性質を国民に啓蒙すればよかったのだが、保険会社の採った方策は、「定期保険に満期金や解約金が無いという不満を言うなら、満期保険金も解約返戻金もある養老保険と組み合わせて販売しよう」と、前出の【抱き合わせ保険】である『ニッセイ暮しの保険』が誕生した。

　しかしこの保険は満期がある。満期が来れば〔養老保険〕は満期保険金を支払わねばならない。保険会社としては、保険金はできるだけ払わないか先延ばしにしたいのが本音だ。

　こうして抱き合わせてあった〔養老保険〕は、満期のない、死亡するまで保険金を払わなくて済む〔終身保険〕に取り替えられた。このような経緯を経て、悪名高い〔定期保険特約付終身保険〕（以下、〔定期付終身〕と称する）が誕生した。

主力保険の正体

　そして、この〔定期付終身〕が生まれると、漢字系各社はこぞって日本生命の後を追い、漢字系生保で〔定期付終身〕を販売しない会社はない、という状態になった。

　スタートは1対1であった抱き合わせも、〔終身保険〕1に対して〔定期保険〕2の3倍型（死亡すれば終身保険の3倍の保険金）からどんどんエスカレートして、1

対19の20倍型、1対29の30倍型、1対39の40倍型、1対49の50倍型となっていった。

　倍率の高い保険は、加入者にとって、何だか得をするような錯覚を与えるのだろう。

　しかし倍率が高ければ高いほど、お金を捨てる「掛け捨て部分が大きい」ということに加入者が気が付くのは、60歳か65歳の団塊の年代に近付いてからで、気が付く人は残念ながら、こういう保険に入っている人のうちの1割に満たない。残りの9割の人々は、自分がどういう保険に入っているのか、全く把握していないのが現状だ。

　いま漢字系生保各社の「主力保険」は、【抱き合わせ保険】の〔定期付終身〕か、もっと質の悪い〔アカウント型保険〕の、2種類のうちのどちらかだ。

　どうして「主力保険」が化け物なのか、次の項で詳しい解説をするが、一言で言い表すなら、「上記2種類の保険のどちらかに入ったら、60歳か65歳の「保険料を払い終わる時点」までに、絶対に死ななければ損をする」だからだ。つまり、この保険に入ったら、**平均寿命までは生きるな。ウンと手前で死になさい**、という保険なのだ。

　死なないで60歳か65歳で保険料を払い終わったら、その後はどうなる保険なのか。

　計算式を見れば、あなたは間違いなくびっくりするだろう。驚いて、どうしてこんな保険に入ってしまったのだろうかと、臍(ほぞ)を噛むことになるだろう。

　さあ、計算機を出して下さい。

入ってはいけない保険のかたち

あなたの保険が、ここにある形でなければ良いが……

ダメな保険を知る

　生命保険は神社のお守りのように、何でも入っていればよいというものではない。

　ひと昔前は、「保険は保障してもらうものだから、払った保険料が返ってこなくてもしょうがない」という人が多かった。今でも少数派だが、そういう人がいる。

　しかし時代は変わり、世界的・連鎖的に経済が萎縮すると、たとえ保険料として払うにしても、お金の大切さの理解が深まり、いかに効率的に支払うかが課題となってくる。

　当然、生命保険に対するニーズも変わってくる。いま、生命保険に求められることは、

① 「単に死亡保障がある」ということだけではなく、
② 「今を保障」してくれること、
③ これからの一生も保障してくれること、
さらに、
④ 「長生きした時に、その保険が老後にどのように役立つのか」という、多角的な使命を満たすものでなければ、真の保障とは言えない時代になった。

　以上の観点に照らして、あなたが現在加入している保険が、その要求を満たしているか否かが分かれば、おのずから「今の保険をそのまま保有していてよいのか、自分のニーズに合った保険を探した方がよいのか」が分かろうというものだ。
　ところが今、漢字系各社（ここで、なぜ漢字系だけを取り上げるのかというと、入ってはいけない保険を販売しているのが全て漢字系生保だから）の販売している「主力商品」といわれる保険は、上に掲げた条件のうち、①②は満たされても、③④では完全に失格な保険で、とても「一生涯を安心して託す」保険ではない。

　入ってはいけない保険の主なものを、具体的に説明しよう。

入ってはいけない保険・その1
〔定期保険特約付終身保険〕

　保険証券の一番最初に、この保険の名前が記されている（記されていない証券もたまにある）。

　少額の〔終身保険（ほとんどが100万円〜200万円、まれにあっても500万円どまり）〕または〔医療保険〕を〔主契約〕として、高額の〔定期保険（掛け捨て保険）〕を組み合わせた保険で、保険料の支払いは、おおむね60歳か65歳となっている。

　保険料支払い終了と同時に〔定期保険〕と付随している〔医療保障〕の保障は終わり、それ以降一生涯は〔主力保険〕の保障のみとなる。

　この保険は、主に漢字系各社から発売されていて、主たる保険は次ページに掲げた名称のものがそれに当たる。

　これらのほとんどの保険が、60歳か65歳で大きな保障は終わり、あとの一生涯を100万円〜200万円（まれに500万円）程度の保障で我慢することになる。

　しかもそれまでに支払う合計保険料は、その保障額の数倍〜十数倍となる。つまり差額は保険会社が懐に入れて、ニンマリと笑う仕掛けになっている。払い込んだ巨額の保険料を失って、あなたは家族に何と言って説明するのだろうか。愛する家族はそれを笑って受け止めてく

- ●日本生命
  「ふれ愛家族ＥＸ」「生きるチカラＥＸ」「ロングランＥＸ」「ニッセイ終身保険１ｓｔＲＵＮ」
- ●第一生命
  「堂堂人生」「新堂堂人生」「悠悠人生」「わんつー・らぶＵ」「ニュー・アンカー・らぶＵ」「リードＵ」「パスポートＵ」「テンダーＵ」「セレクＵ」「アンカーＵ」「ニュー・アンカーＵ」
- ●三井生命
  「新・快適生活－Ｒ」
- ●太陽生命
  「保険組曲」
- ●ＡＩＧエジソン生命
  「無配当終身保険」
- ●フコクしんらい生命
  「５年ごと利差配当付終身保険」「５年ごと利差配当付終身保険・平準定期保険特約付」

★上記はホンの一例です

れるのだろうか。そんな保険でよいのだろうか。今ここで保険証券を出して、こういう保険でよいという人以外は、一度点検してみてはいかがだろうか。

　ちなみに、代表的な〔定期保険特約付終身保険〕の図と計算を、次のページに表しておく。

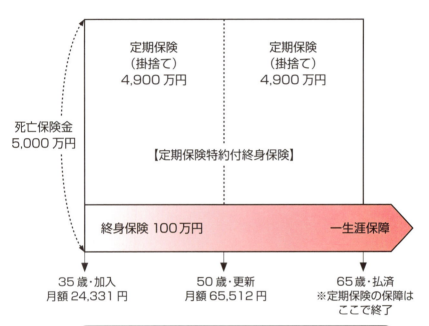

入ってはいけない保険・その2
〔アカウント型保険〕

　〔アカウント型保険〕とは、前記の〔定期特約付終身保険〕の〔主契約＝終身保険〕の部分を、死亡保障は何も無い単なる〔貯金＝アカウント〕にした保険で、このアカウント部分を〔主契約〕にした保険だ（〔ファンド〕あるいは〔積立て〕と称する会社もある）。

　したがって、〔主契約〕を残して〔特約〕を全部解約すると、死亡保障をする部分は何も無い、保険としての形がなくなってしまう、砂上の楼閣のようなイレギュラーな保険だ（もっともこの種の保険を販売している会社は、もうかる部分の全部の特約を解約させてはくれない）。

　アカウント（貯金）とは、保険の設計書に定額で組み込まれている場合と、自分でいくらと決められるものがある。アカウントの額が大きいと保険料全体の額が大きくなるので、下は数百円から大きくても3,000円程度だ。

　保険会社の説明によるアカウントの役割は、「死亡保障額を増やしたいときは、その保険料をアカウントの中から出し、保障額を少なくしたときはその保険料分をアカウントに組み入れる調整機能がある。いずれにしても保険料の総額は変わらない」というものだ。

　さらに保険会社の説明では、加入から保険料払込終了までを「第一保険期間」と言い、保険料払込終了後を「第二保険期間」と言っている。

そして払込終了時点に、それまでにたまったアカウントで〔終身保険〕を買えばよいという説明だ。その時点のアカウントで〔終身保険〕を買うか買わないかは、契約者の自由だ。買わなければ、この〔アカウント型保険〕には、最初から最後まで、〔終身保障〕は何もない、という保険だ。

それなのに、保険の名称には〔利率変動型積立終身保険〕といい、〔終身〕という名前を付けている、欺瞞の保険なのだ。

さらに、保険会社によっては、「たまったアカウントは、資産形成に役立ちます」とうたっている。

ほとんどのアカウント保険が、月に1,000円から多くて3,000円のアカウントの場合、30歳から60歳までの30年間でたまるアカウント（貯金）は、月1,000円なら36万円、月に3,000円でも108万円だ。60歳や65歳の時にその原資でいくらの〔終身保険〕が買えるというのだろう。その金額が保険会社が言う「老後の資産形成」だとしたら、どういう神経をしているのだろうかと、疑いたくなる。

こういう保険を売っている保険会社の基本姿勢は、「60歳か65歳まで大きな保障をしてやったのだから、その後はこちらがもうけさせてもらう。後は野となれ山となれ」ということなのだろう。

この種の保険を販売しているのも、前出の〔定期保険特約付終身保険〕を販売している（または、かつては販売していた）と同じ漢字系生保が中心で、こういう保険でよいという人以外は、一度点検してみてはいかがだろうか。

●**明治安田生命**

「ライフアカウントＬ．Ａ．」「ライフアカウントＬ．Ａ．Double」「ライフアカウントＬ．Ａ．Double意気健康」「ライフアカウントＬ．Ａ．7ガード」

●**住友生命**

「ライブワン（愛＆愛かいごケアタイプ）」「ライブワン（楽々人生かいごケアタイプ）」「ライブワン（ＹＯＵタイプ）」「ライブワン（ＤＪタイプ）」

●**三井生命**

「ベクトルＸ」「ベクトルＸメディカル」

●**朝日生命**

「保険王」「保険王カイゴとイリョウ」「保険王イリョウのそなえ」「保険王メディカル」

●**ＡＩＧスター生命**

「ユニバーサルライフ」「ユニバーサルライフロングステージ」

●**マニュライフ生命**

「マニュフレックス」「マニュメッド」「マニュステップ」

　以上、入ってはいけない保険の一部を列記したが、実際にはこの「入ってはいけない保険」に入っている人が、なんと多いことか驚くばかりだ。そして筆者の書いた本を読み、毎日、数え切れない人々が助けを求めて相談の電話をしてくる。そういう人々には、「早く気が付いて、よかったね」と思う。

　ちなみに、代表的な〔アカウント型保険〕の図と計算を、次に記しておく。

アカウント型保険の例

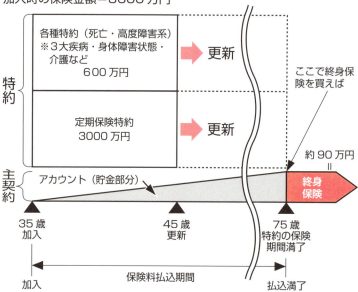

〔保険料〕（35歳～75歳まで）		
	月額保険料	支払合計額
35歳から10年間	14,645円	175万7,400円
45歳から10年間	27,118円	325万4,160円
55歳から10年間	53,096円	637万1,520円
65歳から10年間	11万367円	1,324万4,040円
	支払総合計＝2,462万7,120円	

ポイント 35歳から75歳まで約2,463万円払って、以後は約90万円の保障だけ

ポイント アカウントは自分の貯金でありながら、生きていないと受け取れない

4 目的に合わせて、シンプルに行こう

シンプルなものほど、美しい

■ ダメ保険の実態

　前項③で解説した「入ってはいけない保険」の中に、あなたの保険があっただろうか。

　これらの保険は、小さな〔終身保険〕または形の無い、単なる貯金の〔アカウント〕（会社によっては「ファンド」や「積立て」と称している）を〔主契約〕とした保険で、その上にゴテゴテと特約を付けた、お仕着せのパッケージ保険だ。それは、1トン車に10トンの荷物を積んで走っているようなもので、目的地に到着しないうちに必ずパンクする。

　ゴテゴテ特約もタダではなく、無駄と思われる保険料を払わされる。保険料全体のうち、貯蓄性保険に払う部分が約10パーセントで、残りの特約部分（すべて掛け捨て）が90パーセントなどという保険は、珍しくも何ともない。毎月、払うそばからどんどん特約保険料が消

えていく。あなたは、それでいいのだろうか。

　生命保険は、第４章①で解説しているように、本来はシンプルでとても分かりやすいものだ。それは現在でも時代が変わっての将来でも、基本は変わらない。
　分かりやすい保険だけを売っていたのでは保険会社がもうからないので、もうかる保険を抱き合わせて販売しているにすぎない。抱き合わせた保険に対しては、加入者がいかにも得をするような美辞麗句のキャッチコピーを考えて、加入者を誘い込む。撒き餌をされた魚のように、餌（えさ）を食べているうちに針に引っかかる。あとは船上に引き上げられて、いいように料理されるだけだ。
　驚くのは、「保険に入っていれば安心」と、まるでお守りを買ったような気分でいる人が多いことだ。「目的」も「目標」も定めずに……。まるで「船出さえしてしまえば、どこかの岸に着くだろう」と思っているような感覚で保険に入る。
　これでは、保険屋さんの思うツボだ。

保険ニーズの基本

　〔死亡保険〕の場合、自分を被保険者として加入するなら、自分が死亡したときに、そのお金（死亡保険金）を「何の目的」で「誰に」やるのかが『目的』だ。

そしてそのお金を「いつまでの期間」に「いくらの金額」を渡すのかが『目標』だ。

この２つの『目的』と『目標』が無い、またはあいまいなら、保険は必要ないことになる。

たとえば、もし自分に万一の事があったら、妻の生活のためにというのが『目的』であり、自分の一生の間に〇〇〇万円という金額が『目標』だ。当然、子供に対しては金額も期間も異なる。子供に対しては学業が終わるまで、または独立するまで、〇〇万円というように、家族の一人ひとりについて『目的』と『目標』が違ってくる。

であるのに、あなたの家庭では「夫（またはお父さん）を被保険者」とする保険が一本、ではないのだろうか。

こうして考えると、家族の中でも『目的』も『目標』もバラバラなのに、たった一本の保険で、しかも〔定期保険特約付終身保険〕か〔アカウント型保険〕で、それがあなたの家庭で、オールマイティーの保障になるのだろうか。

この項のタイトルにもあるように、生命保険は本来はとてもシンプルで分かりやすい制度だ。

保障の内容にしても、〔単体の保険〕で、どのような『目的』であっても、『目的』が達せられないことはない。保険会社が特約をゴテゴテと付けるのは、「もうけたい一心」に他ならない。

なぜ、保険会社は掛け捨ての保険を一生懸命売ろうとするのか。あなたは考えたり調べたりしたことがあるだろうか。

それは、大まかに言うと、次のような理由があるから

だ。

　今、〔貯蓄性の保険（養老保険や終身保険、個人年金保険、学資保険など）〕を販売して保険料を100円集めたとする。同じように〔掛け捨ての保険（定期保険や各種の特約、収入保障保険など）〕を販売して、こちらも同じように保険料を100円集めたとする。

　集めた保険料はどちらも同じ100円ずつなのだが、〔貯蓄性保険〕の方は、将来、加入者に支払わなければならない部分が大きいので、100円のうち会社が費用として使える部分は、約15円〜20円ぐらいだ。残りは将来の支払いのために積み立てておかなければならない。

　これに対して〔掛け捨ての保険〕では、加入者に払い戻す確率が〔貯蓄性保険〕よりも少ないので、100円のうち約30円ぐらい残して、あとの約70円は会社が費用として使える、というような構図だ。

　このように〔掛け捨て保険〕を売れば売るほど、会社は費用をたくさん使える。そのため、〔掛け捨て保険〕や〔特約〕を一生懸命売るのだ。

　そんな難しいことはさておき、前にも述べたように、保険はシンプルであればあるほど、経済的だ。不経済な保険なら入る必要はないし、保険料の分を貯金した方が賢い。それだけでなく、加入後の管理もしやすく、保険がシンプルなら不払いの対象にもなりにくい。いいことずくめだ。

　次の表を見て、自分の『目的』と『目標』を見定め、そのニーズに合う保険を探していただきたい。

《単体保険》vs《抱き合わせ保険》の比較

	単体保険 （特約が付かない保険）	抱き合わせ保険 （組み合わせの保険）
目　的	加入目的がハッキリしている。目的に合致した保険を選べる	目的の違う保険の組み合わせなので、加入目的に合致しなくなる
目　標	目標もハッキリ決められる。目標に合致した保険を選べる	目標の違う保険の組み合わせなので、加入目標を見失う
保　障	（原則的に）死亡時まで保障額が増減しない。精神的安定も得られる	保障料払込満了後の死亡保障額が極端に低くなり、生活保障にならない
保険料	基本的保険料のみなので、無駄な保険料がなく、経済的だ	主契約の保険金の何倍もの無駄な保険料を支払うケースが、ほとんど
解約金	ある ただし普通定期保険では、あっても配当金部分の解約返戻金のみ	あっても主契約部分の保険料が少額なので、累計支払保険料に対してごく少額しかない
解約・減額変更	一部分でも、全部でも自由にできる 管理がしやすい	部分的には希望通りにできないケースがほとんど 部分解約や減額により、特約も消滅するケースがほとんど
財産的価値	定期保険などの掛け捨て保険を除き《終身保険》や《養老保険》は財産としての価値がある 掛け捨て保険を除き、抵当権の設定もできる	主契約部分が小さいので、財産的価値はほとんどない 抵当権の設定は、ほとんどできない
保険金・給付金	内容がシンプルなほど請求もれ、支払もれがない 不払事故がなくなる	契約内容・保障内容が複雑になって、請求もれ、支払もれとなり、不払の最大の原因となる

上記のほか、保険料の立て替え、借り入れ、特約の処理などにおいても、単体保険の方が、全てにおいて有利だ。

第3章 ダメ保険に入ってしまっていたら

まず、保険証券を出してみる

必ず計算機を使う習慣をつける

保険のチェック

　本書を読む段階で、すでに生命保険に入ってしまっていて、「しまった、もっと早くこういう本に出会いたかった」と思う人も多いことだろう。まぁ、オリンピックでもフライングはありうるのだから、正しいスタートをやり直せばよいと思う。
　自分の入っている生命保険が良い保険か悪い保険か、見極めるために、まず、保険証券を出してみよう。

　保険証券は、日ごろ、大勢の相談者から寄せられる保険証券を見慣れている筆者でも、とても難解で読み違えることがある。特に漢字系生保の保険証券は、ゴテゴテと付いている〔特約〕が分かりにくく、読むのに一苦労することが多い。
　一番大事なことは、

① 現在の死亡保障額はいくらか
② その保障額は何歳までか（これが一番難解だ）
③ 現在の保険料はいくらか
④ その保険料は何歳までか（更新があるなら、何歳時に「更新」か）
⑤ 「更新」後の保険料はいくらか
⑥ ③＋⑤＝合計保険料はいくらか
⑦ 合計保険料を払い終わったあとの死亡保障額はいくらか（⑥と比較してみる）

を、読むことだ。これを把握せずして、保険に入っている価値は無い。

このように一つずつ「保険料」の問題と「現在と将来の死亡保障額」を分解して計算すると、自分の保険が良い保険か意にそぐわない保険かが、数字で分かる。生命保険はすべて数字で成り立っているので「感情」で入るものではなく、ぜひとも「勘定」で入っていただきたい。

保険証券を見るときは、必ず計算機を使って計算してみよう。今までのあなたは、保険の設計書や証券を見るときに、一度でも計算機を使ったことがあっただろうか。

これはとても大切なことで、「保険は数字で成り立っている」のだから、数字を無視して損をしてもしかたがないし、それはあなた自身の責任だ。

保険証券には、「更新後の保険料」が明示されている

証券と、何も示されていない証券とがある。漢字系の証券会社のほとんどが後者で、とても不親切だと思う。しかし保険料が分からなければ、前ページの⑤⑥⑦の数字が把握できないので、そんなときは、その保険会社の「カスタマーセンター」に電話をして、保険料を聞いてみよう。親切・詳細に教えてくれないような会社だったら、その保険会社の保険はやめた方がよい。

　ただし、保険料を聞くのに、担当営業員に聞くのは原則としてやめた方が賢明だ。なぜなら、あなたに〔定期保険特約付終身保険〕や〔アカウント型保険〕を勧めた営業員に誠実さを求めるのは、ニワトリがキツネに道を聞くようなものだからだ。

　計算機を使う習慣が身に付くと、いま入っている保険のことだけではなく、これから入ろうとして新聞や雑誌などに掲載される保険の〔保険料表〕を見ても、その保険が得な保険か損な保険かを、計算機が正直に教えてくれる。

本当は恐ろしい「更新」と「終身払込」

　たとえば、いま筆者の手もとの新聞に〔医療保険〕の全面広告があるが、何種類かの〔医療保険〕にそれぞれ保険料表が載っている。

　その中の『保険期間10年』と書いてあるものは、「10

年ごとに更新しなさい」という保険で、もっと言えば、「10年ごとに保険料がアップしますよ」という意味だ。

30歳、40歳、50歳、60歳という保険料表を見た30歳の人は、30歳・40歳・50歳・60歳の生命保険料を足して120か月（各10年間）を掛ければ、70歳までの40年間の合計保険料が算出できる。

『保険料支払い期間・終身』とあれば、加入時から死亡するまで生命保険料を支払いなさいという保険であることを示している。人間はいつ死ぬか分からないので「終身払込」の保険においては、第1章❷の「私達は、何歳まで生きられるか」にあるように、【保険計算上の安全圏】（男性＝約90歳・女性＝約94歳）までの生命保険料を払う想定をしないと、安心を得ることはできない。

こうして計算機で計算してみると、「保障期間10年」の保険は、【安全圏】まで保障が継続しないで全てゼロになってしまい、支払った生命保険料を全額捨てることになることもあり、「終身払込」の保険では、いくら当初の保険料が安く思えても、【安全圏】まで支払うと、ばく大な保険料を払う覚悟が必要だとわかる。

あなたの保有する保険の中に、「保険期間10年」または「終身払込」のいずれかの保険があるなら、一体いくら払うことになるのか、計算してみてはいかがだろうか。

最後に一つ、付け加えておきたい。

新聞などに掲載されている保険料表は、おおむね5歳単位（または10歳単位）の表だが、たとえば37歳の人は、自分の保険料がいくらなのか分からないことがある。

こんな場合は次の方法で、大体の生命保険料を出すことができる。

（40歳の保険料 − 35歳の保険料）÷ 5 × 2歳
＋ 35歳の保険料＝ 37歳の保険料

　計算機を使う習慣が身につくと、あなたはきっと「保険がおもしろくなって、ハマってしまう」ことになるだろう。

2 保険の見直しとは、「転換」することではない

今までに、転換で良くなった保険は一件もない

「見直し」はよく考えて

　「保険の見直し」という言葉が、街にはんらんしている。
　世の中の経済活動や家庭の経済状態が悪化してくると、真っ先に節約のやり玉に挙げられるのが「生命保険」の保険料だ。
　保険料の節約を言う前に、保有している保険が良い保険かニーズに合わない不経済な保険かを見極めることが、第一だ。ニーズに合わないことが分かったら、初めて「見直す」ということになる。
　すると、「今の保険をやめて、違う保険に入ろう」という決心にたどり着く。
　決心したからといって、やみくもにすぐにやめてしまってはいけない。次の保険への加入が確定して、契約が成立しないうちに現保険をやめてしまって、体況（＝健康状態）上の問題で新たな保険に入れない（謝絶＝保

険加入お断り）場合には、全く保障が無くなってしまう危険があるからだ。

そんな事態に立ち至れば「無保険状態」になり、安心とは対極の立場におかれることになる。腐ったリンゴ（ダメ保険）でも、時には大事にしなければならないこともあるのだ。

「転換」のカラクリに要注意

「保険を見直したい」という意志を伝えると、漢字系の保険会社はほぼ間違いなく「転換」を勧めてくる。

「転換」とは、現在加入している保険を下取りして、新しい保険に加入させることをいう。

そしてこの「転換」という制度は、漢字系生保の専売特許のようなものだ。

このときのセールストークは、「新しいご契約の保険料は、下取りした分だけ安くなりますよ」というものだ。「転換」は本当に得な方法なのだろうか。

「転換」とは、正確に言うと、いま加入している契約を「解約」して、その解約返戻金を次の保険の保険料の一部に充当するので、その分だけ次の保険の保険料が少なくなる、という仕組みだ。前の契約の「解約返戻金」は、本来はあなたの懐に入って来るべきあなたのお金だ。

そのため、次の保険料が安くなるといっても、あなた

は自分のお金で次の自分の保険の保険料を少なくしているだけで、保険会社が安くしてくれているわけではない。

「転換」させられたあなたは、タコが自分の手足を食べているのと変わりない。

「転換」は、漢字系生保の得意技の一つだ。

筆者は、数多く寄せられる見直しの相談者からの保険をたくさん拝見するが、「転換」された後の保険がとても良い保険だった、というのを、たったの一件も見たことが無い。

それは原因がハッキリしていて、「転換」制度のある保険会社の主力商品が、ほとんど例外なく〔アカウント型保険〕か〔定期保険特約付終身保険〕で、それらに「転換」させられるからだ。

そして筆者の本を読むまで、自分の保険の内容を理解していなかったかもしれないが、知った今は、こんな保険に「転換」させられたことが、悔しくて仕方ない、どうしたらよいか、と一件の例外なく義憤と悲嘆を伝えてくる。

この二つの保険が、いかにダメ保険かは、前に述べたとおりだが、ダメ保険を見直そうとしてその会社に連絡すれば、間違いなく「転換」を勧められるだけだ。それはちょうど、ウサギ（あなた）がライオン（転換制度のある会社＝漢字系生保）に道を尋ねているのと同じで、無事にライオンから逃れることは絶対にできない。間違いなく、おいしい獲物だと食べられるだけだ。

自衛の方法

　では、「転換」などされないようにするには、どうすれば良いか。

　一番簡単で一番確実な方法は、『「転換」制度のある保険会社（主として漢字系生保・詳細は第２章❸の中の〔その①・その②〕の商品を販売している会社）の保険には入らない』ようにすればよい。これ以上、確実な方法はない。それでも「大きい会社、有名な会社の方が…」と思う人は、保険で損をしなさい。

　「転換」などしなくても、自分の『目的』に合った保険は必ずあるので、自分のニーズを第１章❸の表（22ページ）に合わせて選び、『目標』（金額・期間）を決めれば、どういう保険が最適かおのずから分かり、簡単に最良の選択ができる。

　もし今までに転換させられた人がいたら、問いたい。

　あなたがそれまで保有していた保険は、いつ頃加入した保険だろうか。74ページの表に照らし合わせれば、加入契約の「予定利率」が分かる。

　そして「転換させられた」現契約の「予定利率」は何パーセントだろうか。

　仮に「転換」させられる前の契約が1990年（平成２年）の契約だとしたら、その保険の予定利率は5.50パー

セントの契約だった。「予定利率」が高ければ高いほど、保険料は安くなる。表に照らし合わせれば、自分の保険の「予定利率」が分かる。

そして今の保険に「転換」されたのが2001年（平成13年）の予定利率1.50パーセント以降だとすると……。

もうお分かりだろうが、ある日、あなたが預金している銀行の行員が来て、「いま入っていただいている5.50パーセントの定期預金を、今度新しく出た1.50パーセントの預金に取り替えましょう」と言われ、加入し直したのと何も変わらない。

「転換」されるとき、この「予定利率」の説明を、一度でも受けただろうかと聞きたい。

このこと一つとっても、「転換制度」のある保険会社は高い予定利率の保険を切り崩して、低い予定利率の保険に取り替えて、「逆ザヤ」を解消するために契約者の懐を、なりふり構わず必死に狙っているのだ。

そしてそれらの会社の営業員は、あなたの顧客としての幸福など眼中に無く、会社に指導されたとおりに販売成績を上げることに一生懸命なだけだ。

この図式が、「転換」の正しい方式だ。あなたは残念ながら、餌食にされたにすぎない。

それでも、「転換」制度のある会社を信用しますか。

予定利率の推移

（漢字系大手生命保険会社・有配当保険）

契約期間	保険期間		
	10年以下	10年超 20年以下	20年超
～1952年3月	3.00%	3.00%	3.00%
1952年（昭和27年）4月 ～76年3月	4.00%	4.00%	4.00%
1976年（昭和51年）4月 ～81年3月	5.50%	5.50%	5.00%
1981年（昭和56年）4月 ～85年3月	6.00%	5.50%	5.00%
1985年（昭和60年）4月 ～90年3月	6.25%	6.00%	5.50%
1990年（平成2年）4月 ～93年3月	5.75%	5.50%	5.50%
1993年（平成5年）4月 ～94年3月	4.75%	4.75%	4.75%
1994年（平成6年）4月 ～96年3月	3.75%	3.75%	3.75%
1996年（平成8年）4月 ～99年3月	2.75%	2.75%	2.75%
1999年（平成11年）4月 ～2001年3月	2.00%	2.00%	2.00%
2001年（平成13年）4月 ～2013年3月	1.75%	1.50%	1.50%
2013年（平成25年）4月 ～2016年9月	1.00～1.06%		
2016年（平成28年）10月 ～2017年3月	1.10～%		
2017年（平成29年）4月 ～現在	0.25～%		

（注）漢字系生保の保険の中には、加入後に予定利率が下がってしまうものもあるので、注意が必要だ。

3 「更新型」保険が、一番損をする

道草をして、余計な時間を使うようなもの

技術の革新には功罪がある

　20世紀に入ってから、人類はそれまで無かったものすごいスピードで、あらゆる便利な機械を手に入れた。

　地上を走る自動車や列車、空を飛ぶ航空機、水中深く潜行できる潜水艦、果ては宇宙での生活を予言させる宇宙ステーションやロボットなどがあり、日常の生活の中でも、あらゆる物の発展を推進した電気、固定電話から始まって洗濯機、冷蔵庫、炊飯器、テレビと進み、今では歩きながら世界中のどこでも誰とでも携帯電話で話ができる。

　人類の歴史の中で、こんなにすごいスピードで科学や文化が一挙に進んだ世紀は、今までも無かったし、これからも無いかもしれない。

　しかし便利になった反面、機械に縛られ、時間に追われるようになったことも事実で、その反動としてストレ

スがたまり、自分だけの閉じこもりの世界を作りやすくなった環境がある。

保険の更新には
デメリットしかない

　私たちが旅行をするとき、一挙に目的地に到達する行き方が多いが、時間とお金に余裕があれば、のんびりと物見遊山しながら、ゆったりとした旅も楽しいだろう。
　目を生命保険のことに転じると、保険も物見遊山のように立ち止まることが多い保険は、一気に目的地に行くものより費用が多く掛かる。
　それはどんなことかというと、保険料を支払う問題で顕著な違いがでる。
　それを例えると、新幹線で旅行するのに、東京から博多へ直通で切符を買えば、乗車券特急券合わせて23,390円で目的地に行ける。
　これを東京〜新大阪〜博多と乗り継げば、費用は30,320円と、約1.3倍になる。
　さらに東京〜名古屋〜新大阪〜広島〜博多というように乗り継ぎ回数が多くなれば、費用は37,920円となり、直通の約1.6倍に膨らむ（令和3年12月現在）。
　生命保険の場合の乗り継ぎとは、「更新」を指す。
　「更新」とは旅行の乗り継ぎと全く一緒で、「更新」の回数が多ければ多いほど、保険料は新幹線より極端に

倍々ゲームで増えていく。

実際に数字で示してみよう。

いま、35歳の男性が、75歳まで40年間の保障を得ようとして、掛け捨ての〔定期保険〕1,000万円の保険に加入したとする。Aは、35歳から75歳までの40年間を、「更新」なしの〔75歳満期〕の直通で払う。Bは、35歳から75歳まで「10年ごとに更新」して40年間支払うとすると、

A〔**全期払い**という〕＝
35歳の月額保険料 7,370円×40年間＝ **3,537,600円**

B〔**短期払い**という〕＝
35歳の月額保険料 2,790円×10年間＝ 　334,800円
45歳の　　〃　　　4,810円×10年間＝ 　577,200円
55歳の　　〃　　　8,930円×10年間＝ 1,071,600円
65歳の　　〃　　 20,830円×10年間＝ 2,499,600円
B　の　合計　　　　　　　　　　　　 **4,483,200円**

結果として、B－A＝945,600円もの金額を余計に払うことになる。軽自動車1台分のお金だ。

ここでは〔定期保険〕を例題として取り上げたが、何の種類の保険であれ、「更新型」の保険は、いくら目先の保険料が安く思えても、「更新」する度に保険料がアップし、結局は高い買い物になるのだと、頭に確実にインプットしてほしい。

「更新型」の保険の場合、「保険期間＝10年」または「保険料払込期間＝10年」（年数が15年で、または20年で「更新」の場合もある）というように表示されている。
　年数が短くても長くても、「更新型」には変わりはない。「更新型」保険に入らないだけで、あなたは生命保険料を節約したことになる。

　〔定期保険〕の中には、「1年更新」という保険も販売されている。短期保険の典型だが、これも1年ごとの「更新」と変わりなく、ごく短期間の保障のための利用ならよいが、それを乗り継いで長期間の保障を得る、というのはお勧めできない。

4 「簡保」「共済」を、一生涯の保障にするな

安物買いのゼニ失いになるな

できれば節約したいが…

　経済状態が不安定な世相になると、人は貯蓄に走る。
　昨今の経済状況を見ても、サブプライムローンの破たんに端を発し、リーマン・ブラザースが足を引っ張り、巨大なＡＩＧ（アメリカン・インシュアランス・グループ）も、政府から８兆円という日本の国家予算の約１割の金額を越す借金をするありさまだ。借金はいつか返さなければならない。アリコ・ジャパンの保険を集金マシーンにして契約者からお金を集めて……。そして欧州では、ギリシャをはじめ、経済不安の波は当分収まりそうもなく、しばらくは安定する気配はない。

　日本の生保業界も影響を受け、2008年（平成20年）10月には大和生命が早々と破たんした。

　このような状況になってくると、家計の負担を少しでも軽くしようと、節約の一番手として、生命保険の保険

料がやり玉に挙げられるようだ。

　〔貯蓄性の保険〕は〔掛け捨ての定期保険〕に、さらにはもっと掛け金の安い〔共済〕や〔ネット保険〕へと乗り換える人も出てくる。中には民間の保険よりも国でやっていた〔簡易保険〕の方が安いだろうと乗り換える人もいる。

安いモノにはわけがある

　だが、ちょっと待っていただきたい。
　確かに保険料や掛け金が安いのは魅力的だ。その上、共済の割戻金（民間保険の配当金にあたる）があると、安い掛け金は更に安くなり、美人にニッコリと微笑まれたように、ついフラフラとそちらに付いて行きそうな気にもなるが、なぜ〔共済〕や〔ネット保険〕は他の民間保険と比べて掛け金が安いのか、あなたは一度でも考えた事があるだろうか。答えは簡単だ。
　それは、民間の保険は、望めば（種類を選べば）一生涯の（保障額が）フラットな保障を確保できるが、一般的な〔共済〕や〔ネット保険〕の場合は、高年齢になるに従って保障額が先細りになり、最後は「平均寿命まで届かない」保障しかされないからだ。つまり、人が死ぬ平均値の手前で保障を打ち切ってしまうような保障なら、支払いが少ないから、途中はいくらでも安くできる

計算だ。

　平均寿命を超えるような保障の「共済」も中にはあるが、その保障額は死亡通知のはがき代にも足りないくらいで、とても「家族への保障」という金額ではない。

　結果として〔共済〕を一生涯の保障にすれば、キリギリスが蓄えの無い寒い冬を越すように、保障の無い不安な老後を過ごさねばならなくなる。

「乗り換え」も良くない

　「だったら、若いときは安い〔共済〕で済まし、ある年齢（何歳ぐらいを想定しているのか？）になったら、民間保険に乗り換えれば……」という考えを持つ人もいるだろう。

　しかしこの考え方も"ブー"だ。

　なぜなら、民間保険に切り替える年齢が早ければ早いほど、支払い終了時点までの合計保険料は、早い加入の方が少なくて済むからだ。つまり言い方を換えれば、民間保険への遅い加入（スタート）は、スタートまでに「共済」に余計な掛け金を払い、スタート後は年齢が高いだけに多い（高い）合計保険料を払う、という結果となる。

　さらにもっと大切なことが二つある。

　その一つは安い掛け金で済ませてきた反動で、民間保

険の保険料との差額（落差）に驚き、「そんな高い保険料は払えないわ」といって、保険料のために保障額を泣く泣く引き下げるか、あるいは全く加入する意志を喪失して（無保険状態になって）しまう例が多いことだ。

切り替えようと思った時の経済状態がよければ、掛け金と保険料の落差など問題でない、という裕福な人でも、二つ目の重大事項に直面する。

それは、切り替えようとする時の「診査・告知」の問題だ。

いくら高額の保険料を払えると威張っても、それまでの病歴やその時点の健康状態によっては、全く保険に入れない（謝絶）か、あるいは加入できても「条件」（保険金の削減、あるいは医療保険なら部位不担保、あるいは特別保険料の徴収など）が付く不利もあるからだ。

経済的にも肉体的にも、こんな危険を無視してまで、それでも〔共済〕に固執しますか。

結局、〔共済〕に一生涯を託す人は、自分の人生と安心を安売りしているに等しく、将来、高齢になってから不安を抱えることになっても、諦めてもらうしかない。

自分がそんな悲劇に遭わないようにするには、〔共済〕を一生涯の保障にしないで、一日も早くそこから脱却することが幸福への道筋だ。

共済の メリット

　では、〔共済〕はダメのらく印を押された、全くダメな制度なのかというと、そういう決め付けはできない。
　〔共済〕には、掛け金の安いところを大いに利用する方法もある。
　それは、『目的』『目標』に合わせて民間生保の保険で保障を充実させて、なおかつ、短期的・一過的（あくまでも短期的であって、決して長期であってはいけない）な保障の増額を求めるときは、掛け金の安い〔共済〕は、便利な保障だ。

簡易保険 に対する幻想

　もう一つ、頭を切り替えていただきたいことがある。
　それは「簡易保険」（以下、簡保と称す）のことだ。
　かつての〔簡保〕は、国が行っている保険事業だった。
　民間の保険会社がつぶれても、簡保がつぶれる事は絶対にないと思われていた。万が一、簡保がつぶれるような事があれば、それは国が救済してくれるという安心感

が底辺にはあった。

　その状況があまりにも長く続いたためか、そういう意識が国民に深く浸透した。いや、今現在でも、国民の大多数がそう思っている。それは、生まれたばかりの小鳥が、この世に生を受けて初めて見るものを親だと思うのと同じで、一度思い込むとそれが全て〈刷り込み〉というのと変わりない。

　ところが現実は厳しく、〔簡保〕が安くて安全だった時代は、郵政事業が民営化されるズーッと以前に、幕を降ろしているのだ。

　いま簡保保険は、あらゆる保険がそうだが、ある狭い範囲の年齢の人を除いて、ほとんどの人が、保険に加入すれば「元本割れ」（払い込んだ金額より、受け取る金額の方が少ない状態）する状態だ。信じられない人が多いだろうが、事実だ。信じられないなら、合計保険料がいくらになるか、計算機に数字を打ち込んでみてほしい。

　郵便局の窓口で、簡易保険に加入しようと職員に話を聞いている婦人を見ると、「簡易保険に入るくらいなら、貯金した方がトクですよ」と、大声で教えてあげたくなる。講演でこのことに触れると、悲鳴を上げるのは、決まって中年以上のご婦人方だ。きっとその人たちは、簡保が安い保険かどうか、小学生でも簡単にできる計算なのに、一度も計算機を持ったことのない人たちだと思う。

　次の表を見て、一度頭の中を洗い直してほしいと願う。

《養老保険》民間生保・JA共済・簡保の保険料比較

（保険金1,000万円あたり）

被保険者・男性		55歳満期	60歳満期	65歳満期
30歳加入	民間生保	33,760円	27,870円	23,770円
	JA共済	34,700円	29,000円	—
	簡易保険	36,600円	30,600円	—
40歳加入	民間生保	58,500円	48,530円	34,740円
	JA共済	58,600円	44,150円	35,660円
	簡易保険	60,700円	46,000円	37,100円
50歳加入	民間生保	—	90,160円	60,120円
	JA共済	—	89,190円	60,250円
	簡易保険	—	89,100円	61,700円

（注）民間生保の保険料は、無配当保険の保険料を適用。

たとえば、30歳加入・60歳満期の《養老保険》に入ると……
①民間生保＠27,870円×12ヵ月×30年＝**10,033,200円**
②簡易保険＠30,600円×12ヵ月×30年＝**11,016,000円**
　②－①＝**982,800円**も**余計に払う**ことになる！

「ネット」で加入する保険の恐ろしさ
インターネット時代の落とし穴

ネット保険の台頭

　わずか30年前の頃は、コンピューターが個人個人にとってこんなに身近な存在になる世の中が来るとは思わなかった。

　しかし現代では、パソコンは単なる生活道具の一つに過ぎず、人によってはネットで得る情報や知識が全て、という方もいるくらいだ。何か知ろうとするとき、ネットで検索をして、その情報が最良で全てだと思っている人もいる。ネットに載っていなければ、信用しないという傾向すら見られる。

　生命保険の世界では、一昔前までは、保険に加入するのは保険屋さんに声を掛けられてから、というのが、信じられないが常識だった。それは、自分から保険屋さんに声を掛けて保険に加入するのは、保険を利用した犯罪的意図があるのでは……と保険会社は疑ったからだっ

た。そういう申込みは、長年、「もっとも警戒すべき申込み」と思われ、自発的加入は保険会社に嫌われた。結果として「保険に加入するのは、しつこいと思われても、保険屋さんから声を掛けられたとき」という風習が、長い間定着してきた経緯がある。

今から見れば全くバカバカしいことだが、そんな歴史の中で生まれた「しつこい勧誘をされない」インターネットでの保険加入は、通信販売で加入するよりも、さらにもっと手近な日常として受け入れられるのかもしれない。

しつこさとは全く無縁で、煩雑な手続きも無く、パソコンに文字と数字を打ち込んで全てOKという簡単さには、ネット保険が伸びる十分な素地があるのだろう。

だが、ネット保険の特徴は何なのか、加入する人は考えた事があるのだろうか。

ネット保険の長所と短所

ネット保険の特徴を並べると、次ページのようになる。

① しつこい勧誘が一切無く、パソコンの画面上で申込み手続きが終了する。
② 保険の種類が複雑でなく、原則として単体保険だ。
③ 10年、20年の短期の保険が多い。
④ 保険料が割安だ。
⑤ 特約が複雑ではない。

　というところだろう。どれもこれも、良いことずくめじゃないかと思えるくらいだ。
　しかし、ちょっと待っていただきたい。加入者にとって、ネット保険は本当に良いことずくめなのだろうか。①から順に検証してみたい。

① しつこい営業員の攻勢に遭わないので、これは歓迎だ。しかもパソコンの画面上で申込みができるのは、簡単で良い。
② 保険の種類は〔死亡保険〕と〔医療保険〕の2種類で、分かりやすい。
③ 多くが「10年満期の掛け捨て」保険なので、10年ごとに保障を見直せる。
④ 他の保険と比べても、保険料が割安だ。
⑤ 不払いの元となる特約が少なくてよい。

と、難点が無い保険であり、簡単で良いシステムに思えてしまう。
　しかし賢明な読者ならお気付きだろうが、一見良いように思えるネット保険にも、実はとても大きな落とし穴があるのだ（落とし穴とは、そこに落とし穴があることを、落ちるまでは気が付かないものだ）。

　何が落とし穴か。
　一番大事なことは、〔死亡保障〕が最長で**70歳まで**しかなく、「平均寿命（男性は約81歳・女性は約88歳）までの保障はされない」ということだ。
　ちょうど前項❹の「共済」と同じで、ネット保険に一生涯を託そうと思っている人は、高年齢になってから悲劇に見舞われることになる。
　次に、ネット保険は原則として「掛け捨て保険」で、しかも「更新型」である、ということだ。「掛け捨て保険」は、一生涯の保障には向かないし、目先の保険料が安くても、とても不経済な保険であることは既に述べたし、「更新型」の支払いが、保険料の支払いの中でこれも不経済な支払い方であることも、既に述べたとおりだ。
　つまりネット加入保険は、言い換えれば前項❹で解説した「共済」と同じように、死亡保障は平均寿命まで届かないうちに終わってしまい、70歳以降は無保障状態となってしまうのだ。
　それでは「ある年齢まで安くて簡単なネット保険で保障を得て、その後に普通の保険に切り替えれば……」という考えを持つ人もいるだろう。これも残念ながらＮＯだ。切り替える時点での危険（それまでの病歴や、その

時点の健康状態によっては加入できない）もあるし、最初からちゃんとした保険に入るよりも、結果としてとても不経済だからだ。

　以上のことは分かっていても、現代人はネットに頼りがちで、ネットで知ることが最上と思い込む傾向を持っている。ネットに無ければ、正しいものじゃないという風潮さえある。
　しかし世の中、うまい話には必ず落とし穴がある、という象徴的な保険がネット保険だと思っても、間違いではない。ただ「共済」と同じで、短期的・一過的な保障補充のために利用するなら、とても便利な保険だと、言っておこう。

かんぽ・共済が安かったのは神話

　85ページの表を見ればわかる通り、「かんぽ」が安い、「共済」が安い、というのは過去の話。どの年齢でも民間の保険の方が安いことが多い。
　神話は存在しない時代。頭の配線を切り替えて下さい。

6 対面販売、通販、銀行窓販の注意点

保険で一番大切なのは、誠実さ

　一昔前は、生命保険に入るときは、必ず「保険会社の営業員を経由」しなければ、加入できない時代が長いこと続いた。自発的申し込みは、犯罪を意図した申し込みじゃないのかと、白い目で見られたものだ。今では信じられないが……。

　タイトルに掲げた３つの販売方法には一長一短があるが、中には「長」が無く「短」だけのものもある。それを解説しよう。

「対面販売」の長短

　まず「対面販売」であるが、多くの人々が「保険屋さんは、しつこくて嫌だ」という。

　しかし「しつこいと、熱心は、紙一重」というように、しつこいと受け取るか熱心と感じるかは、受け手である顧客側の保険に対するニーズの有無と、保険屋さんの礼儀作法や態度・物腰・言葉遣いなどとともに、誠実な印象と好感が持てるかにもかかっているだろう。

もちろん、商品説明の内容が分かりやすいかどうかが一番大切だ。対面販売の良いところは、保険の商品内容、保障内容、その後のケアなどのアドバイスが受けられるということだ。さらに言えば、契約者・被保険者と面接するので、「被保険者の替え玉や代筆」が防げることだ。これは「不払い」のある第一関門をクリアしたことにもなる。大きな欠点といえば、巧みにマインドコントロールされた保険屋さんに、うまく丸め込まれてもなかなか気が付かない、というところだろうか。

　丸め込まれることを防ぐには、自分自身が保険に対して「確固たる信念と理論武装」をすることだ。理論武装（保険の研究）が無いと、いくら良い保険に入っていても、ある日「エーッ、こんな保険に入っているのですか」という疑問の一言で、自分の保険は良くない保険なのだろうかという疑心暗鬼になってしまい、その保険屋さんの餌食になること間違いなしとなる。

　最後に大切なことをお知らせする。それは「良質な保険は、「通販」「ネット販売」「窓口販売」では絶対に販売していない」ということだ。これは大切。

「通信販売」の長短

　次に「通販」であるが、対面販売が原則であった日本は、アメリカからの強い圧力で、アリコジャパンやアフ

ラックなどの通販を認め、外資系生保は通販を開始した。

　外資系の通信販売は対面販売ではないので実のところ、契約者・被保険者が替え玉であってもサインが代筆であっても、簡単に加入できてしまう。これは簡単であるという長所である反面、実際に被保険者が承諾した申込みなのかどうか、判定が難しいという問題がある。結果として、入り口が広いので出口を狭くすることになり、保険金・給付金の支払い請求時の審査が厳しくなる。

　さらに言えば通販での保険加入は、加入前の事前のコンサルティングや加入後のケアは無く、管理は完全に自己責任となる。自分自身の理念と信念を持たないで、ただ便利だ・保険料が安い、ということだけで選んでしまうと、間違った道を進んでいてもそれに気付くことがなく、あまりお勧めはできない。

「窓口販売」はやめなさい

　最後に「銀行窓口（銀行が保険の代理店）での保険販売」（通称・窓販）だが、これは絶対にお勧めできない。

　理由は二つあり、一つは「販売している保険が、漢字系生保のダメ保険」であることと、二つ目は保険に対する理念がなく、あるのは「販売手数料」が欲しい、という一点だけだからだ。手数料欲しさだけだから、「手数料が入れば、どんな保険でも……」という姿勢だ。だ

から漢字系の主力保険を堂々と販売して道徳心がない。

　それを象徴するのが、ダメ保険（〔定期保険特約付終身保険〕や〔アカウント型保険〕）を扱っていることだ。くわばらくわばらだ。

　「窓販」には、もう一つの販売方法がある。

　それは店舗を構えて来店するお客に生命保険を販売（代理店）している、「来店型」という販売だ。

　この場合、銀行「窓販」が系列・提携・株主となっている生保の保険だけを扱うのと違い、自由に数社または数十社の保険を扱っている。消費者は、「多くの保険を扱っているのだから、その中から最適である保険を勧めてくれるだろう」と、実態の見えない期待をしてしまう。

　実はこの期待が落とし穴で、多くの会社の保険を扱っているのは、その中から手数料（コミッション）の率の良い会社の保険を、販売側が選べるからだ。生命保険会社としての理念・商品内容・販売戦術・ケアなど総合的に見て、本当に信頼できる会社は五本の指ぐらいで、**5社以上の会社の代理業務を行っている代理店は、敬遠した方が賢明**だ。

　特に代理業務を引き受けている会社の中に「漢字系生保と、外国保険会社の日本支社である保険会社（161ページ以降参照）」の名前が1社でもあったら、その代理店には筆者なら、絶対に行かない。

最善の方法

　こうして加入経路を整理してみると、よほど自分が生命保険に精通しているのでなければ、旧態依然としていても、生保会社の営業員**(ただし、漢字系生保と、外国保険会社の日本支社の営業員は除く)** か代理店の営業員と対面して、保険に入るのが一番安全のようだ。

　問題は、誠実に顧客のニーズを理解してくれて、信頼できる保険会社の最適な保険を選んでくれて、誠実に事務処理を進めてくれる営業員に巡り会えるかどうか、という一点にかかってくる。良い営業員に巡り会うには、その営業員が誠実で優秀かどうか見極めるチカラを、自分自身が持たなければならない。それには生命保険の研究が絶対に欠かせない。

　こうして見てくると、ある会社やある保険には対面販売しか認めず、別の会社（特に外資系）には全面的に通販を認めているというダブル・スタンダードはとても変則的で、外国からの圧力に弱いというわが国の政府の体質を表している。とても変だし、ある意味では差別待遇だ。

　生命保険の加入には、通販、ネット加入は一切禁止して、初回の加入は原則として契約者・被保険者との面接を絶対条件とする対面販売で、次に一度加入した加入者

からの追加加入時は通販やネット加入を認める、というシステムにすれば、不正加入を防げると思う。

　最後に付け加えたいことだが、保険屋さんで「ファイナンシャル・プランナー」の資格を持っている人も多いが、そんな立派な資格を持ちながら、〔定期付終身保険〕や〔アカウント型保険〕などダメ保険を売っている人がとても多い。
　生保の販売員に限っては、資格の有る無しは保険に対する顧客本意の販売とは何も関係ないと、ハッキリ申し上げておこう。

第4章 生命保険の基本を知ろう

基本の形は、たったの3種類

携帯の取扱説明書よりも、はるかに簡単

保険は難しくない！

　携帯電話の取扱説明書は、知識が白紙の人に懇切丁寧に教える内容にはなっていない。説明書の内容は、取扱いをある程度知っている人でないと、理解できないようになっている。

　ところが生命保険の場合は、携帯電話の取説よりはるかに簡単で、基本は小学生でも分かる簡単なものだ。保険は難しくて分かりにくい、と思っているのは、あなたの心の中に、「難しいから」とか「まだ先のこと」という、潜在的な忌避心理が働いているからだろう。

　ちょっとかじってみると、生命保険ほど研究のしがいがあって面白く奥の深いものは、他にはないくらいだ。

　保険というものから距離をおきたいと思っている人に、「生命保険って、何種類ぐらいあると思いますか」と質問すると、「保険会社が40社前後あるのだから、

1社が販売している保険が30種類くらいあるとして、全部で1,000種類以上はあるのかな」という答えが返ってくる。まだ計算する人は良い方で、ほとんどの人が「分からない」と答える。

　正確に知らない人には信じられないかも知れないが、生命保険の基本の形というのは、たったの**3種類**しかないのだ。

　101ページにその図を示しておいたが、あらゆる保険がこの3種類の形そのものか、あるいは基本の形を少し変化させたもので、あらゆる人々のニーズも、この基本の保険で満たすことができる。たくさんあると思うのは、基本の形の保険に、ゴテゴテと装飾的にいろいろな特約を付けて、性質の分からない保険に仕上げているだけだ。

　たとえて言うなら、車に購入者が頼みもしないオプション部品やアクセサリーを付けて価格を引き上げ、「さあ、この車を買いなさい」と勧めているにすぎない。

　そして保険会社（主に漢字系生保）はあなたに、一枚の券に出発地から途中までは特急券付の乗車券で、そこから先は乗車券だけの切符を印刷して、売っているようなものだ。特急に乗った快適な旅が、途中から各駅停車の鈍行に乗り換えろと強制される。

　そんなバカなことは回避（拒否）して、基本の形をしっかりと頭に入れておけば、快適で経済的な安心を得られるのだ。

「特約」に気をつけよう

　基本の単独の保険だけでは得られない保障もある。そんな場合も本当に自分に必要な「特約」だけを慎重に吟味して、必要最小限だけ付加することを考えればよい。
　「特約」とは、それを付ければオールマイティの保険になるのではなく、決められた狭い範囲の保障をしてあげるよ、というのが「特約」の意味だ。
　今の漢字系の保険に見られるように、その加入者に必要であるかどうかも分からないのに、そして事前の相談も打ち合わせもなしに、ゴテゴテと付けられるだけの特約を付けた設計書を作って販売するやり方は、どの点から見てもおかしいし不合理的で不経済だ。そんな保険を買わされれば、将来的に不利益を被るのは加入者であって、潤うのは保険会社と担当した営業員だけだ。

　いま何か保障を必要と考えるとき、ここに示した単独の基本型の保険で、目的を達せられないことは断じてない。
　そして個々の保険の持つ性格と目的をしっかりと頭に入れておけば、あなたは最良の安心と経済的で合理的な保険を保有することができることになる。

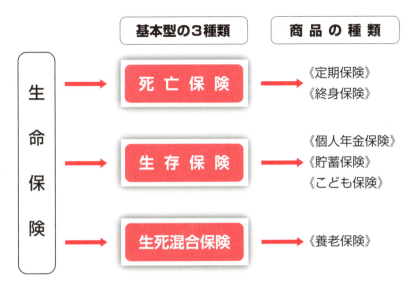

生命保険に加入するのがいかなる目的であっても、上記の単体商品だけで「目的」が達せられないことは絶対にない。

養老保険

幅広い利用価値のある保険

■ 養老保険の特徴

　民間の保険会社の保険に入る人で、この〔養老保険〕に入る人は、現在はほとんどいない。

　それは保険会社側の経営的・営業的戦略で、「将来、加入者に多くのお金を戻さねばならない保険」は、売りたくない、という思惑が先行しているからだ。保険会社は、養老保険の対極にある、もうかる掛け捨て保険（主として〔定期保険〕）を、たくさん売りたいのだ。

　しかし頭をなかなか切り替えられない人々（特に高齢者と女性）は、今でも生命保険といえば〔養老保険〕が真っ先に頭に浮かぶようで、郵便局の簡易保険も〔養老保険〕の販売占率（＝割合）は、とても高い。

　〔養老保険〕の長所でもあり短所でもあるところは、「あらゆる保険種類の中で、貯蓄性が一番高いので、その分、

保険料も高い」ということだ。

この特徴を上手に使えば、〔養老保険〕も使い勝手の良い保険だ。

たとえば何年か先に、いくらいくらのお金を手にしたいというとき、貯金ならひと月ひと月または一年一年ずつお金を積み重ねていくので、死亡などにより途中で積み重ねが途切れれば、その時点までの積み重ねた分しか手に入らない。図に描けば、三角形だ。

これが〔養老保険〕を利用した場合には、目標の時点に向かって進むと同時に、保険に加入したその日から、万が一途中で死亡しても、目標の金額を手にすることができる「死亡保障」が付いてくる。図で示せば、四角形だ。そして目標の時点に到達すれば、目的のお金を手にすることができる。あまり高年齢でなければ、払い込んだ保険料以上のお金（満期保険金）を入手できる。独立資金、ローンの頭金、旅行資金、生前贈与、遺産の相続額の調整などいろいろな利用のしかたがある。

ただ〔養老保険〕には満期（契約の終了時点・保障の満了時点）があり、その満期も3年、5年、10年、15年、20年、25年、30年という年を単位とする満期と、50歳、55歳、60歳、65歳、70歳、75歳、80歳という歳を単位とする満期とがあり、ぴったりと目標の時期に合わせられるかの問題はある。

「平準化」という特色

　〔養老保険〕には、他の保険にはない大きな特徴がある。それは「平準化」ということだ。

　生命保険は、原則として、年齢ごとの「死亡率」に準拠して保険料が計算される。

　しかしその原則を〔養老保険〕に当てはめると、若年層は保険料が安くても、年齢が上がるにつれて保険料も上昇していく。高年齢になると、支払い切れない高額保険料になってしまう。そこで高年齢層の人の保険料を削って、それを若年層の人々の保険料にプラスして、右肩上がりの急な傾斜を緩やかな傾斜にしている。これを「平準化」という。

　〔養老保険〕の場合、他の保険よりも平準化が大きく、別掲の図に示されたように、10年満期の〔養老保険〕の20歳と60歳の人の保険料は1.07倍でしかないのに対して、〔定期保険〕では6.57倍になっている。

　この事から分かることは、「平準化」の高い〔養老保険〕は、年齢が高くなったから敬遠する、という保険ではなく、高年齢者でも大いに利用することができる保険だということだ。

　逆に「平準化」が低い〔定期保険〕のような掛け捨て保険は、できるだけ若いときに加入した方が安い保険料で済む、ということも分かる。

〔養老保険〕にも、保障額が保険料の運用の好調不調によって変額する〔変額保険〕がある。

目的があるなら、この〔養老保険〕を、上手に使っていただきたい。

《養老保険》の仕組みと平準化のかたち

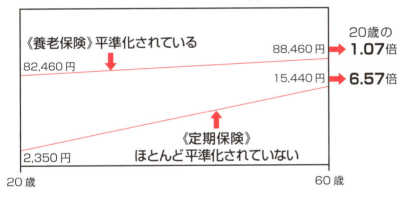

保険金1,000万円あたり・10年満期・男性・月払保険料

《養老保険》平準化されている
82,460円
88,460円 → 20歳の **1.07**倍

《定期保険》ほとんど平準化されていない
2,350円
15,440円 → **6.57**倍

20歳　　　　　　　　　60歳

終身保険

人生の安心を得るための、基本保険

定期保険との比較

　日本は世界に誇れる長寿国だといっても、生まれた人の全員が長生きする訳ではない。

　生まれてから5歳までに乳幼児の死亡率は高く、いくら平均寿命が伸びても、若い年齢で早く死ぬ人はいる。

　平均寿命とは、そういう人も含めた平均で、人はいつ死ぬか分からない。

　いつ死ぬか分からないから、死亡保障はその人が死ぬまで（つまり終身）の保障が必要だ。

　〔終身保険〕（〔死亡保障〕でも〔医療保障〕でも）はその点、加入すれば被保険者が死亡するまで一生涯の保障が続くので、とても安心だ。

　しかし〔終身保険〕も貯蓄性があるので、保険料は〔養老保険〕に次いで高い。そのため保険料の安い〔定期保険〕と比べて「高ーい」という人が多い。が、ちょっと

待っていただきたい。

確かに表面だけの金額を比べれば、〔終身保険〕の保険料は高く感じる。

しかしものは考えようだ。次の比較を見ていただきたい。

今、35歳の男性が10年間だけ、1,000万円の保障を得ようとしたとき、保険料の安い〔定期保険〕と、保険料の高い〔終身保険〕を利用するのでは、どう違うか計算をお見せしよう。

	月額保険料	10年間の合計保険料	10年後の解約返戻金	消える保険料
定期保険	2,790円	334,800円	0円	▲ 334,800円
終身保険	20,160円	2,419,200円	2,130,000円	▲ 289,200円

上記の計算のように、〔定期保険〕は月々の保険料は安いが、満期が来ると支払った保険料の合計額の334,800円の全額が消えてしまう。つまり全てがゼロになってしまう。もちろん生命保険であるから、保険期間中に死亡すれば、安い保険料で大きな保険金を手にすることができる。

これに対して〔終身保険〕では、同じ保障を得るのに〔定期保険〕の約7.22倍の生命保険料を払わねばならないが、10年後に解約すれば、2,130,000円の解約返戻金が戻ってきて、実質保険料は289,200円と、〔定期保険〕と比べても45,600円も安く済み、その上2,130,000円

もの貯金ができることになる（〔終身保険〕は65歳払済の保険料を適用した）。

このように保険も、ただ月々の保険料が高いとか安いとかの単純比較だけでは、保険の本当の良し悪しは分からない。

終身保険の特徴

ここで〔終身保険〕の特徴を、列記しておこう。

① 文字どおり〔終身〕（一生涯）の保障が続く。これが最大の特長。
② 〔定期保険〕のように、死亡するまで保険料を払う、ということがない（死亡する時点まで生命保険料を払うという「終身払込」も選択できる）。一般的には55歳、60歳、65歳、70歳、75歳で保険料支払いが終了するものの中から選んで加入する。
③ 貯蓄性が高い（養老保険に次いで）。死亡保障を得ながら、将来は多い解約返戻金を取り崩して使うこともできる。老後の年金代わりにもなる。
④ 保障期間の途中で緊急に資金が必要になったとき、その時点の解約返戻金の約9割までの金額の

キャッシング（契約者貸付）を利用できる。保険契約そのものが担保となるので、他の担保は必要ない。返済の督促も特にない。
⑤ 保険料を滞納したときに、その契約に解約返戻金があれば、その中から自動的に生命保険料を立て替えてくれるので、契約が失効しない。これを「自動振替貸付」という。立て替えてもらった保険料プラス利息は、貸し付けられた形となる。
⑥ 解約返戻金は、任意の時に解約して受け取ることができる。保険料支払い終了時、またはそれ以降任意の時に、解約返戻金を年金に移行させることも可能である。
⑦ （有配当保険では）加入後３年目から付く配当金を請求して、いつでも現金で受け取ることができる。
⑧ 保険金を確実に相手に渡せるので、贈与や相続対策（遺産の均等化）・相続税対策（納税準備）に最適の保険である。
⑨ 保険料は、払込終了時点までの期間が短いほど１回の保険料負担は多いが、支払い終了時の合計保険料では、払込期間が短いほど少ない保険料で済む。
⑩ 法人（企業）がこの保険を「役員保険」として利用した場合、保険料は資産計上となるが、会社（法人）の資産（会社の体力）が知らず知らずのうちに増強される。
　保険金や解約返戻金を受け取った場合は、受取金全額が課税対象となるのではなく、受け取った金額から既払い保険料を差し引いた残りが課税対象

となる。会社の役員退職金対策として、または企業の存続維持対策として、最適の保険である。

終身保険の類型

〔終身保険〕にも、次のようにいろいろな形がある。

① **普通終身保険**
契約した死亡保険金が、加入時から死亡時まで変わらないもの。

② **変額終身保険**
契約した死亡保険金は保証されるが、保険料の運用次第で受け取る保険金が増えることもある。解約時の解約返戻金は、運用の成績次第では元本割れすることもある。

③ **積立利率変動型終身保険**
契約した死亡保険金は保証され、保険料の運用で得た利益は積み立てられていく保険。積み立てられた利益金は減らされない。終身保険の中で、一番使い勝手の良い保険。

〔終身保険〕の中でお勧めは最後の〔積立利率変動型終身保険〕だが、この保険と全く同じ文字を使った保険で、似ても似つかぬダメ保険があるので、厳重に注意して頂きたい。

　それは〔利率変動型積立終身保険〕（文字の配列だけが違うところに注意）といい、中身は第2章③「入ってはいけない保険のかたち」で解説した、**〔アカウント型保険〕**だ。終身保障されるものが全く無いダメ保険なので、特に注意が必要だ。

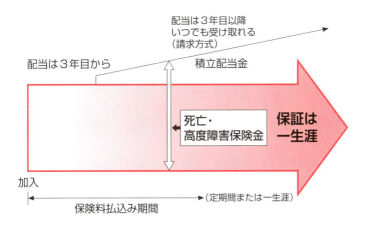

《終身保険》のしくみ

定期保険

安いと思うのは、完全に錯覚です

定期保険は無駄が多い

　生命保険の中で、「保険料が安い保険は」と質問すると、ほとんどの人が〔定期保険〕と答える。ある意味では間違いではない。しかし正確ではない。

　「なぜ、安いという答えが正確じゃないの？　〔定期保険〕が一番安い保険だと思っていたけど」という、〔定期保険〕信奉者の声が聞こえてくる。答えよう。

　確かにかつては、「保障してもらったのだから、保障が終われば保険料を全て没収されてもしょうがない」と、払った保険料が戻って来なくても諦める人が多かった時代もあった。

　しかし生命保険に対する考え方も変わり、「保険料が無駄にならないように」お金が大切な時代になってくると、「保険会社に保険料をタダ取り」されない保険へと注目が集まるようになった。

そういう観点で計算すると、安い安いと思われている〔定期保険〕は、実はとても保険料が高くて、無駄の多い保険なのである。

実際に、計算をお目にかけよう。
今、35歳の男性が、1,000万円の死亡保障を〔定期保険〕で得ようとすると、その保険料は次のようになる。

◆A　35歳から10年ごとに「更新」していく場合。

35歳～45歳　　2,790円 × 10年（120か月）＝　　334,800円
45歳～55歳　　4,810円 × 10年（120か月）＝　　577,200円
55歳～65歳　　8,930円 × 10年（120か月）＝　1,071,600円
65歳～75歳　 20,830円 × 10年（120か月）＝　2,499,600円
75歳～80歳　 54,720円 × 5年（60か月）　＝　3,283,200円
80歳で保障は終了
80歳までの合計保険料

7,766,400円

※80歳までしか保障がなく、776万円を捨てる

◆B　35歳から65歳まで30年間払い、その後
　　65歳から80歳まで1回「更新」する場合。

35歳～65歳　　4,930円 × 30年（360か月）＝　1,774,800円
65歳～80歳　 37,190円 × 15年（180か月）＝　6,694,200円
80歳までの合計保険料

8,469,000円

※80歳までしか保障がなく、846万円を捨てる

> ◆C　35歳から80歳まで「更新なし」で直通で払う場合。
>
> 35歳〜88歳　12,400円×45年（540か月）＝　6,696,000円
> **80歳までの合計保険料**
> **6,696,000円**

　A、B、C、と比較すると、「更新」の回数が多いほど、支払う合計保険料は多くなり、AとBは保険金を上回る支払いになってしまう。これが保険会社の狙いで、〔定期保険〕を「10年更新型」で売る理由なのだ。

　これが「1年ごとに更新」する〔定期保険〕ならば、計算するのも恐ろしい。

　しかも80歳以上まで長生きしてしまうと、上の計算で払った保険料はゼロにリセットされ、手元には何も残らないという状態になる。

　そして〔定期保険〕の保険料が安いのは目先だけで、例えばA、B、Cのなかで一番少ない保険料で済むCは、保険屋さんがもうからないので勧めてはくれない。一番勧めてくれるのはAだし、販売されている〔定期保険〕も、ほとんどがAだ。

　このように〔定期保険〕の保険料が安いのは、せいぜい30歳代ぐらいまでで、それ以降は急ピッチで保険料が上昇していく。

定期保険の使い方

　〔定期保険〕を効果的に利用できるのは、〔終身保険〕などでしっかりと保障を確保して、その上で保障額が不足するようなら、短期間・一過的に（5年かせいぜい10年ぐらいまで）〔定期保険〕で保障を求めるような場合で、それは良い方法だ。

　あるいは年数を経るごとに減っていく子供の教育資金保障のために、15年満期または20満期の〔逓減定期〕（＝契約した加入保障が、経年とともに一定額づつ減っていく保険）を利用するのは、良い方法だと思う。

　また、〔定期保険〕には、普通の〔平準定期保険〕のほか、上記のような〔逓減定期保険〕や、逆に保険金が増えていく〔逓増定期保険〕、さらには保険料の運用次第で保険金が増減する〔変額定期保険〕などがある。

　ちなみに〔定期保険〕より保険料が高いといわれている〔終身保険〕では、1,000万円のための保険料（しかも65歳で払い終わる保険で）は、月に20,160円で、支払う合計保険料は7,257,600円だ。前述の例の〔定期保険〕で一番安いCの6,696,000円よりも**561,600円多い支払い**になるが、一生涯の安心を得られる。さらに保険料を払い終わった65歳時（それ以降も任意の時）に解約したければ、解約返戻金は約749万円あり、払った保険料を上回り、老後の生活にも役立つ。1,000万円

の保障を得た上に、解約すれば約749万円の**貯金**ができたことになる。

　保険料が安いと錯覚している〔定期保険〕では、〔終身保険〕のような安心を与える芸当は絶対にできない。

《定期保険》と《終身保険》保険料比較（例）

保険金1,000万円・男性・月払保険料

加入30歳⇨定期保険は88歳まで支払い
　　　　⇨終身保険は→65歳払込満了

《 定 期 保 険 》		
	保　険　料	10年間分
30歳	2,510円	301,200円
40歳	3,840円	460,800円
50歳	7,370円	884,400円
60歳	15,440円	1,852,800円
70歳	38,320円	4,598,400円
80歳	103,490円	9,935,040円
合計保険料	18,032,640円	

88歳まで支払う計算

《 終 身 保 険 》		
	保　険　料	65歳までの合計保険料
30歳	16,520円	6,938,400円
保険料払込満了後も一生涯の死亡保障が続く		
合計保険料　6,938,400円		

65歳で払込満了

5 家族収入保険（収入保障保険）

保険金を年金のように受け取れるが

家族収入保険の特徴

　生命保険の保険金は、最初から年金で受け取る〔個人年金保険〕は別にして、原則として一括で受け取るものだ。

　大きな保険金を手にすると、多くの人が、日ごろ抑圧されていた消費の欲求が頭をもたげてくるようだ。時には、それで人生そのものが崩壊することもある。そんな事になれば、せっかくの保険金という愛情があだになってしまう。

　一家の大黒柱が保険金を残して逝く場合、一般的な一時金で残すか、年金式受取りで残すかは、残す場合の事情によって違ってくるだろう。

　たとえば家族に残す場合でも、一括で受け取ったために、家庭や受取人の人格が崩壊してしまった例は、枚挙にいとまが無い。残す側からすれば、保険金のために崩壊の憂き目を見させるのは本意ではないだろう。それを

防ぐのが、年金方式で保険金が支払われる、この〔家族収入保険〕なのだ（保険の名称は、各社によって若干異なる）。年金方式で保険金が支払われれば、受け取る側の収入も安定し、幸福に暮らせることだろう。この方式の保険を選ぶのも、保険金を残す人（被保険者）の愛情の表し方だと思う。

一方、事業の継承や相続税対策等のための保険金なら、年金式受取りはなじまない。一括で受け取れなければ、役に立たない場面が多い。そのため、この保険は向かない。

家族収入保険の類型

さて〔家族収入保険〕だが、スタイルがいろいろとある。

まず一般的なのが、加入から保障期間満了までの間に死亡すれば、契約した「年金」が受け取れるというものだ。つまり、保険期間が20年で加入後3年目に死亡すれば、残り17年分の年金が受け取れ、10年目の死亡なら残り10年分の年金受取りとなる。そのようにして、経過年数が経つごとに、年金受取回数は減っていくので、図に表せばちょうど〔逓減定期保険〕のそれと似ている。

ただ、契約期間終了寸前で死亡してしまった場合、1年分しか受け取れないのかというとそうではなく、契約終了直前で死亡しても、最低支払期間が2年間とか5年

間とかは保障される、という契約のパターンがある（パターンは会社によっていろいろある）。

　比較的少ない保険料で初っぱなは大きな保障が得られるが、経年ごとに受け取る累計額が減っていくことと、掛け捨て保険であるから保障期間が終われば、全てがゼロになることは承知しなければならない。

　〔家族収入保険〕でも、「特定障害状態」「要介護状態」「高度障害状態」になると、死亡しなくても、一定の決められた条件になると保険料免除になったり、または状態によって保険金が支払われるものもある。支払われる条件は細かく決められており、加入するときに確認したい。

　最近の〔アカウント型保険〕では、この〔家族収入保険〕（または収入保障保険など、名称はいろいろ）をセットにして、保障額を大きく見せるテクニックを使った保険がはんらんしているので、特に注意したい。

　繰り返すが、あくまでも掛け捨て保険であることを、念頭に置いておこう。

個人年金保険

保険会社によって、差が大きい

「補完」から「主役」へ

　〔個人年金保険〕に加入するとき、「あなたが受け取る年金は、あなたが受け取る時点の加入者が払った保険料だけで賄われます」という内容だったら、あなたは保険会社の〔個人年金保険〕に入りますか。これから少子化がどんどん進み、年金を支えてくれる加入者が少なくなれば、あなたの年金保険の年金が、約束通りに受け取れなくなるのは目に見えている。

　国の「公的年金」が、上の話と同じスタイルでスタートし、制度の崩壊の危機に見舞われている。その上、運営・管理はデタラメを通り越し、改ざん・詐欺行為などやりたい放題だ。

　一昔前は、「老後は公的年金で暮らし、不足する分を民間の年金保険で補完する自助努力をしましょう」といっていた。

いま、その言葉を信じて公的年金を頼りにしていたら、生活そのものが成り立たない。

　自助努力は「補完」じゃなく、主役に昇格させて生活を守らなければ、首をくくらなければならなくなる。第一、自営業者が国民年金に40年間保険料を払って、満額の年金をもらっても、年に799,000円という。月に直せば66,583円だ。そしてこの年金の中から「介護保険料」や「後期高齢者保険料」を、嫌だといっても天引きされてしまう。こんな金額で、政府は一体どうやって暮らせというのだろうか。

　こうして考えると、自助努力で加入する〔個人年金保険〕は生活費の補完ではなく、完全に「主役」に昇格させないと、悲惨な老後が待っていると思って間違いない。

主な類型と比較

　そこで〔個人年金保険〕だが、一体何歳から年金を受け取り始めて、その年金が何歳まであれば安心なのだろうか、考えて見たい。

　すぐ頭に浮かぶのは、定年で職を退いた時から受給が始まり、死ぬまでは受け取りたい、という本音だろう。

　しかしこれを年数に換算すると、65歳から保険計算上の安全圏の88歳まで受け取るとしたら、実に23年間の年月がある。せめて平均寿命の79歳までと望めば、

14年間は年金を確保したいと思うのが人情だ。

代表的な年金の受取り方には、次のようなものがある。

---

① **10年保証期間付終身年金**
（年金受取り開始から10年間は、被保険者の生死にかかわらず年金を受け取れる。10年経過後は、被保険者が生きている限り、年金を受け取れる）

② **10年確定年金**
（年金受取り開始から10年間は、被保険者の生死にかかわらず年金が支払われる。10年経過後の年金はない）

③ **15年確定年金**
（年金受取り開始から15年間は、被保険者の生死にかかわらず年金が支払われる。15年経過後の年金はない）

多くの〔個人年金〕加入者が選ぶのは、②か、①だ。一回ごとの年金受取額は②が一番多く、次いで③、①の順で少なくなっていく。①の場合は、長生きすれば、いつまで年金を払わねばならないか分からないということで、保険会社にとっては長生きされると困るが、反面、10年目の支払い期間中に被保険者が死亡してくれれば、11年度以降は払わなくて済むという、保険会社にとっての利点もある。

では、35歳の男性が65歳まで保険料を支払って、65歳から①②③のそれぞれで年金を受け取ると、いく

らになるか検証してみよう。比較上、払う保険料を①を基準としてほぼ同一金額にした（一回ごとに受け取る年金額は違ってくるが、その年金が支払った保険料に対して、何倍になって返ってきたかで比較した）。

	月額保険料	合計保険料	年金年額	開始10年受取総額	開始15年受取総額	開始20年受取総額	倍率
①	58,632円	21,107,520円	120万円	1,200万円	1,800万円	2,400万円	1.13倍
②	58,475円	21,051,000円	250万円	2,500万円			1.18倍
③	57,545円	20,715,200円	170万円	1,700万円	2,550万円		1.23倍

　これはX社の〔個人年金保険〕の例であるが、どれを選ぶかは、個人個人の生活設計に合わせればよいと思う。表では払込保険料に対して③の1.23倍が一番倍率が高いが、終身（生きている間）受け取れる①では、受取開始から22年度目（87歳）には1.25倍となり、③を超える。長生きできればという条件付なら①が一番率の良い年金となる。

　〔個人年金保険〕は、どの会社の年金に入ってもどれも大差ない、と思ったら大間違いで、受取り倍率は会社によってかなりバラつきがあるので、注意しよう。

　ちなみに「簡保」（郵便局株式会社）〔一時払年金〕では、年齢による多少の上下はあるが、総額で180万円の年金（2か月ごとの受取り）のために、約172万円〜約178万円を支払う。これだと、倍率にすれば僅か1.06倍にしかならない。月払いだと、約1.05倍だ。やっぱり「簡保」はダメだ（なお小数点2位以下は切り捨てて

いる）。

貯蓄性保険の提案

〔個人年金保険〕は、老後の生活のために大切だということは、よく分かっていただけたと思う。

しかし、年額120万円（月額にすれば10万円）のために、35歳の人でも月に58,000円以上の支払いは、かなりの負担だ。家計をとても圧迫してしまう。

しかも昨今のような経済状態になってくると、残業カット、リストラなどの旋風が吹き荒れるかも知れない。

新聞や雑誌にも「貯蓄性の保険をやめて、保険料の安い掛け捨て保険に乗り換えよう」といったような記事が現われる。

しかし、ちょっと待っていただきたい。

貯蓄性保険を保有していたら、その保険を「減額」したり「解約」するのではなく、その保険を大切にするために、「貯蓄に回していた予算を、貯蓄性の保険料に回そう」と提案したい。

なぜなら、貯蓄性保険は「減額」したり「解約」してしまうと、何年か経って経済状態が好転しても、元の金額に戻すのは至難の技だ（年齢が上がった分だけ保険料もアップするので）。将来の有利な権利を捨ててしまう

ようなものだ。

　そこで筆者の提案だが、上記のように現在貯蓄性保険（主として〔終身保険〕または〔養老保険〕）に加入している人も、これから〔養老保険〕や〔個人年金保険〕に加入を考えている人も、「貯蓄」「保険料」の二つを別々の予算にするのではなく、「貯蓄」の予算を〔貯蓄性の終身保険〕に振り当ててしまえば、〔終身保険〕で「死亡保障と貯蓄」がいっぺんにできてしまうのである。
　「それじゃ、緊急の時に使う貯蓄が無いじゃないか」という声も上がるだろうが、心配はご無用だ。
　たとえばいま、「貯蓄」に20,000円、「保険料」に25,000円（逆でも良い）払っている家庭があるとしよう。
　年齢にもよるが、この保険料なら死亡保障額〔終身保険で〕は約1,200万円〜1,600万円ぐらいだろうか（ここでは〔定期保険特約付終身保険〕や〔アカウント保険〕などのダメ保険は対象にしていない）。
　そこでこの予算を〔低解約終身保険〕（保険料払込期間中は解約金の率が低く、払込終了時点から解約金がグーンと増えていく保険）に振り向けると、35歳の男性なら60歳で払い終わる〔終身保険〕2,000万円の死亡保障が確保でき、支払う保険料は月額42,380円で、60歳までに支払う合計保険料は12,714,000円だ。
　そして（ここが肝心だが）65歳時に解約しようとすれば、解約返戻金は15,471,000円で、これは自分の払った保険料の約121.6％に当たる。70歳時は約128.2％、75歳時は134.4％、さらに80歳時は約140％と、どんどん増えていく（この額は最低保証の額と率で、運用次

第ではこの数字を超えることも期待できる)。

　このように死亡保障を得ながら貯蓄性の保険を持っていれば、年齢が高くなって死亡保障額を減らしても良い年代の時、任意の保障額を解約して老後の生活に役立てれば、〔死亡保障の保険〕に入ったと同時に「貯蓄」もでき、「年金」替わりにもなるし一石二鳥・一挙両得にできる。
　頭を柔らかくすると、こういう方法もあるよという一例だ。
　また貯蓄性の高い〔終身保険〕には「解約返戻金」があるので、保険期間の途中で緊急に資金が必要になったときは、貯金を引き出すのと同じ感覚で、その時点の解約返戻金の約9割までの金額の、「キャッシング＝契約者貸付け」を利用できる。貸付けを受けても保険の効力には影響が無く、帳面上、貸付けが計上される。書類さえ整えれば、即日の貸付けが受けられ、担保は必要なく（保険契約そのものが担保となる）返済の督促もない。保険金を受け取る時に、保険金から貸付金（元利合計額）が差し引かれて支払われる。
　ただ注意しなければならないのは、貸付金の元利合計額が解約返戻金を超えると、その時点で保険契約が「消滅」することである。これには気を付けたい。
　保険料の高い〔個人年金保険〕に加入を考える時、ぜひともこのようなお金の使い方も考えて見ていただきたい。

代表的な《個人年金保険》の種類

●10年確定年金

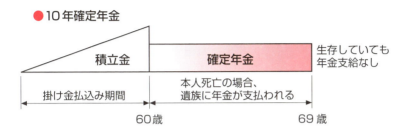

●10年保証期間付終身年金

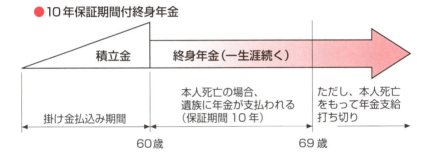

●終身年金

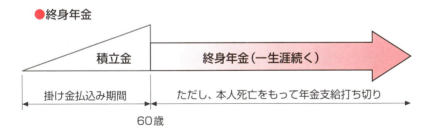

学資保険

貯金するか、他の方法を考えなさい

現在ではあまり お勧めできない

　子供が誕生すると、その子のために〔学資保険〕をと思うのは、親の温かい愛情だ。
　と同時に、子供が進学する時に必要な資金の準備を今から少しずつ、そして将来の自分（親）の負担を軽くしておこうという、計算もある。
　ひところの〔学資保険〕は、確かに親の役に立った。
　しかし現在は、ある２～３社の〔学資保険〕を除いて、軒並み「額面割れ」（受取り総額が支払った保険料総額を下回る）状態で、とてもお勧めできない。もちろん「簡保」も同様だ。
　元本割れしなくても、配当金はごくわずかで、紙より薄い利息の貯金よりは良いかもしれないが、以前のようなうまみはない。
　では、実際はどんな計算になるのか、検証してみよう。

次ページの図は、日本を代表する日本生命の〔ニッセイこども保険の保険げ・ん・き・ＥＸ〕という〔学資保険〕だが、支払う保険料と受け取る祝い金・満期保険金の関係を見ていただきたい。

　幼稚園・小学校・中学校・高校・大学へと進学するたびに「祝い金」と称して進学費用を受け取れるからと嬉しく思うのは大きな間違いで、それは常に自分が払った保険料の一部でしかなく、満期が来て満期保険金を受け取っても、絶対に得をすることはない。

　つまりこういう〔子供保険〕（〔学資保険〕ともいう）に加入すれば、損だと気が付いて途中でやめても損、満期まで続けても損、という、まるでアリ地獄に落ちたような状態となる。満期時の受取額が払込額を上回る〔学資保険〕を売っている会社は、五本の指に満たないし、あまり強力にお勧めしたい保険ではない。

　〔学資保険〕は今や上記のような状態だが、この保険の唯一の救いは、契約者（一般的には父親）が途中で死亡した場合、その後の保険料を免除されるものもある。会社によっても異なるので注意しよう。

《こども保険》の支払い保険料に対する受取り金合計額の損益

(予定利率 1.65%)

22歳満期・契約者30歳・子供0歳・基準保険金100万円(ニッセイこどもの保険げ・ん・きEX)

経過年度	年間保険料	累計保険料	受けとり祝い金	祝い金合計
1年	161,016円	161,016円		
2年	(月額13,418円)	322,032円		(▲=損害額)
3年	特約なし	483,048円	幼稚園入園時	
4年		644,064円	100,000円	初回100,000円
5年		805,080円	小学校入学時	(▲544,064円)
6年		966,096円	200,000円	
7年		1,127,112円		
8年		1,288,128円		300,000円
9年		1,449,144円		(▲666,096円)
10年		1,610,160円		
11年		1,771,176円	中学校進学時	
12年		1,932,192円	300,000円	600,000円
13年		2,093,208円		(▲1,332,192円)
14年		2,254,224円	高校進学時	
15年		2,415,240円	400,000円	1,000,000円
16年		2,576,256円		(▲1,415,240円)
17年		2,737,272円	大学進学時	
18年		2,898,288円	1,000,000円	2,000,000円
19年		3,059,304円		(▲898,288円)
20年		3,220,320円		
21年	↓	3,381,336円	満期時	
22年満期	161,016円	3,542,352円	1,000,000円	3,000,000円
		最終損害額 →		(▲542,352円)

加入しても、途中でやめても、満期になっても、ソンをする保険。

【上記の保険料と同じ金額を同じ予定利率で積み立てた場合】

年度	(毎月13,418円積立)①	(元利合計金)②	②-①=プラス
3年度	483,048円	531,763円	48,715円
6年度	966,096円	1,016,198円	50,102円
9年度	1,449,144円	1,563,264円	114,120円
12年度	1,932,192円	2,138,072円	205,880円
15年度	2,415,240円	2,742,028円	326,788円
18年度	2,898,288円	3,376,611円	478,323円
21年度	3,381,336円	4,043,374円	662,038円
22年度満期	3,542,352円	4,273,058円	730,706円

「ニッセイこどもの保険げ・ん・きEX」の満期受けとり金との差額 　プラス **1,273,058円**

結論

　子供は日本の宝だ。
　国も課税上で優遇していて、生まれてから大学を卒業するまでの22年間に、親の所得から合計で約1,011万円を控除している（0歳から15歳までの15年間・1年あたりの扶養控除額38万円、16歳から22歳までの7年間は、1年あたり63万円）。
　DINKs（Double Income No Kidsの略、子供を持たない夫婦のこと）が増えて少子化がこのまま進むと、今は子供を持たないで生活をおう歌していても、人口が減ったために個人個人の社会費の負担は重くなり、結局は天につばを吐くようなことになる。
　では〔学資保険〕のことはどうするか。
　結論を言えば、〔学資保険〕に入るくらいなら、たとえ紙のように薄い利息でも、銀行に貯金した方が利口だ。
　もう一つの方法は、前項の〔個人年金保険〕で提案したように、〔低解約終身保険〕に加入して、できるだけ短期間で保険料を払い終わる、というのがお勧めだ。計算機を出して研究してみていただきたい。

医療保険

保障内容がバラバラで、比較が難しい

特約の医療保障は今すぐやめなさい

〔医療保険〕は単独の保険に入っている人よりも、〔死亡保障〕の保険に「特約」で加入している人の方が、圧倒的に多い。

それは長年、〔医療保障〕は漢字系生保が〔死亡保険〕に「特約」で付けるもの、という保険の売り方をしてきたからで、消費者側も、それが当たり前だと思ってきた。

しかし〔医療保障〕をこの方法で保有していると、保険本体の〔主契約＝主に終身保険〕の保険料支払い終了時点（その多くは65歳または60歳）で、〔医療保障〕の保障が終わってしまう。この事に気が付かない人のなんと多いことか、驚くばかりだ。

この方法（特約）で〔医療保障〕に入っていると、保障が終わってしまう65歳になって新しく〔医療保険〕に入ろうとする時、年齢が年齢だけに、バカ高い保険料

になってしまいビックリする。高い保険料を払えたとしても、その時の健康状態や過去の病歴によっては、新たな保険に入れない危険性大だ。特約で入っている〔医療保障〕は一日でも早く解約して、単独の、一生涯保障のある〔医療保険〕に加入し直してほしい。

うまい話には裏がある

　もう一つ大事なことは、かつての医療保障は「入院から４日間は免責」で、入院給付金は５日目から支払われたが、今では「入院給付金は初日から」支給されるものが多くなったことだ。多くの人々は、「入院初日から保障してくれる親切な保険」が出たので、「保険会社もなんて親切になったのだろう」と思い込んでいるようだ。
　しかしちょっと待っていただきたい。
　生命保険会社はボランティアで保険を売っているわけではない。
　「入院初日から」という保険には、最初から自動的にその「特約保険料」が組み込まれているので、タダで保障されているわけではない。
　入院初日から給付される〔初期入院特約〕は、たとえば何歳で加入しても、払う特約の合計保険料はほぼ同じ額（大体42万円～44万円）で、これを「初期入院の４日間」で割ると、初期入院を 10.5 回（420,000 円÷

40,000円＝10.5回）繰り返しての入院で、元が取れる計算なのだ。あり得ない事ではないが、普通の人が10回以上も入院を（しかも短期間の）繰り返すとは思えず、〔初期入院〕が組み込まれている保険は、過払いで損をする公算大なのだ。

　ではこの問題を、どう考えれば良いのか。
　それは従来通りに入院４日間は免責で、自分の年齢や体調や病状を勘案して、希望する人だけが〔初期入院〕の特約を付ける、という選択ができる保険が、良い保険だと言える。
　話が最初から横道にそれてしまったが、以上の話を含めて〔医療保険〕は横一線に並べての比較が難しく、Ａの保険にはこれが有るけどそれが無い、Ｂの保険にはそれは有るけどあれが無い、Ｃの保険はあれもこれも無い、というように、単純な比較のしにくい商品なのだ。

医療保険のポイント

> 1．〔医療保障〕に加入する際は、次の点は絶対に守ってほしい。

① 保障は、加入時から「終身保障」があるもの。これは絶対要件だ。

〔医療保障〕は生涯続くことが必要で、「保険期間10年」「保険料払込期間10年」または「終身払込」の保険は、絶対に避けていただきたい。目先の保険料がいくら安くても、とても不経済な入り方だ。

② 保険料の支払いは、長くても65歳（定年、または年金開始年齢）で終わらせたい。年金生活の年齢になっても保険料を払い続けるのは、絶対に避けたい。

以上の①と②の条件に照らし合わせれば、新聞やテレビで大々的に広告している保険は失格（入ってはいけない保険）、ということが分かると思う。

> **2．次に、下記の中から自分に必要なものは何か、条件に照らし合わせてみよう。**

① 「1泊2日」からの入院をどうするか、前述した。要るか要らないか。

② 1回の入院は、120日型が理想的だ。

最近は入院期間がどんどん短期化されて、1回の入院は60日型でも良いように思える。

しかし高年齢になって、脳梗塞や結核など長期の入院を余儀なくされる病気もあり、年齢が高くなってから

60日型を120日型に取り替えたくても、できなくなることが多い。

　最初から120日型では保険料が高かったら、60日型と120日型を半分ずつ加入するのも一方法だ。

③　「解約返戻金」は、有った方が良い。
　〔医療保険〕は自分のための保険で、解約することは原則的に考えにくい。だから解約返戻金は要らないと考えがちだが、解約返戻金があると、保険料を滞納した時に「自動振替貸付」が機能して、契約の失効を防いでくれる。解約返戻金の無い保険では、保険料を2か月間滞納すると、契約が失効してしまう。再加入には困難がともなうことも多く、保険料も上昇することになる。解約返戻金のない〔医療保険〕に入ったら、絶対に保険料の滞納は避けたい。

④　「死亡保険金」も、有った方が良い。
　〔医療保険〕は自分のための保険だから、この保険で死亡保険金を残すことはない、と思っている人もあるようだ。
　しかし人生をきれいに終わらせたいなら、せめて葬儀代や身辺整理する費用ぐらいは残したい。死亡保険金のある保険では、支払った保険料から死亡保険金を差し引いた「実質保険料」で比べると、死亡保険金のない保険よりも、ズーッと少ない保険料で済むという利点もある。

⑤　「手術給付金」は、一般的な〔医療保険〕では、契約日額の10倍・20倍・40倍だ。

しかし実際のところ、40倍の給付を受けられる手術は、手術全体の中の約10パーセントで、20倍給付の手術が約20パーセントで、残り約70パーセントが10倍の給付金だ。
　これに対して、どのような手術でも一律に20倍という〔医療保険〕もある。
　どちらを選ぶかは、あなた自身の健康状態を自分で考えて選ぼう。
　〔医療保険〕で入院日額限度を超えてしまっても、「手術給付」は受けられるので覚えておこう。

　65歳で〔医療保険〕の保険料を払い終わるとしたら、何歳で加入しても支払う合計保険料は、最大でせいぜい6万円弱の違いでしかない。
　であるなら、一日でも早く若いときに入れば、【月々の保険料負担が少なくて、その上、長い期間の保障を得られる】という、すごい利点を享受できる。〔医療保険〕には思い立った今すぐに入った方が賢い。

医療保険は審査が厳しい

　最後に大切なことを書き加える。
　それは多くの人が「〔医療保険〕は人の死、という重大な事に関する保険じゃないから、〔死亡保険〕よりも

簡単に入れるだろう」と思っていることだ。

ところが事実は逆で、一度しかなくごまかしようのない人の死亡に関する〔死亡保険〕は、実は〔医療保険〕よりも加入時の審査が緩い。一方、仮病やごまかしや、時には悪徳医師と結託したりしての詐欺的行為や、今はなんともなくても将来は病気に発展しそうな健康状態などの諸々の要因が考えられる〔医療保険〕は、審査がとても厳しいのだ。

中には「入ってしまえば」と、告知をごまかす人もいるが、保険金・給付金支払い時には、全社が登録している「支払い経歴」の調査をされるので、「告知義務違反」も絶対にダメだ。

〔医療保険〕に入れば病気にならないわけじゃない。そして〔医療保険〕に入るくらいなら、貯金した方が良い、と言う評論家もいる。

確かに一理あるが、病気のときのためにとお金を積み立てておいても、人間は弱いものでなし崩しに取り崩してしまうものだ。それに闘病のためにもお金が掛かるだけではなく、入院している間の家事代行や職業によっては減収もありうることを考えれば、それを補てんするためにも〔医療保険〕は役に立つのである。

9 がん保険

がんでの死亡率が上がり、今後は保険料が上がる

まず医療保険を優先しよう

　今、3人に1人が「がん」で死亡しているが、診断技術が発展すると、見逃していたがんも発見でき、近い将来は2人に1人が「がん」で死ぬ時代が来るだろう、といわれている。

　そういう時代がすぐそこまで来ているとしたら、〔がん保険〕の給付内容も、現在よりも低下することが予想される。あるいは保険料の上昇が予想される。

　しかし「がん」が怖い病気だからといって、〔がん保険〕にばかり力を入れて、普通の〔医療保険〕を充実させていないのは、本末転倒というものだ。

　普通の〔医療保険〕は、がんはもちろんのこと、がんを含めたあらゆる病気とけがでの入院をカバーしてくれる。「がん」での死亡率が約3割なら、残りの部分も含めた100パーセントを普通の〔医療保険〕は保障して

くれるのである。

〔医療保険〕を充実させた上で、なおかつ、がんが心配なら、そこで初めて〔がん保険〕を考えても遅くない。

がん保険のポイント

最近では日本の保険会社も〔がん保険〕を販売しているが、外資系生保が日本に上陸して〔がん保険〕の販売を始め、普及したという経緯がある。そのため〔がん保険〕は一時外資系生保の独壇場だったが、今では日本の生保会社でも販売されているので、消費者は選択肢が広がった。

〔がん保険〕に加入するときの注意点は、前項の〔医療保険〕の注意点とほぼ同じだ。

① まず一番大切なことは、一生涯の保障があること。10年間ごとに「更新」していく保険は、入ってはいけない。保険料的に不経済だ。「終身払込」という保険も同じく不経済だ。

② 入院給付金も死亡保険金も、高年齢（60歳か65歳）で少額（あるいは半額）になってしまう保険もダメ。
外国保険会社の日本支社の〔がん保険〕にこういうのが多い。

〔がん保険〕に加入しようとするときは、上記の２点を守れば、きっと良い保険を選べる。

〔がん保険〕にも問題が無いわけじゃない。

がんに罹患(りかん)すると、初期発見でなければ、かなり危ないことになる。

放射線治療や投薬などを続けていると、体力もかなり落ちていく。結果として、入院するときは「がん」で入院しても、体力の低下・衰弱から、死亡するときの直接の死因は、「心不全」「肺炎」「呼吸器不全」「多臓器不全」などであることが、結構多いのだ。死亡診断書に死因として上記の病名を書き込まれると、「がん死亡保険金」は支払われないことが多い。

これが〔がん保険〕のガンかもしれない。

第5章 生命保険会社の選び方

保険会社の見分け方

格付け・ソルベンシーマージン比率は
信用できるか

規模や知名度は
信頼度と関係ない

　スーパーで野菜や魚を見分けるとき、色つやや弾力や形を見たりするのと同じように、モノを見分けるときには、誰でも自分なりの基準を持っているものだ。

　生命保険会社の優劣を見分けようとするとき、あなたは何を基準に考えているのだろうか。

　圧倒的大多数の人々は、今まで、「その会社の規模」が大きいかどうか、「名前が知られている有名会社」かどうかを、基準にしているようだ。それで良いのだろうか。

　かつて、四大証券の一角であった山一証券は、「格付け」が低下したことがきっかけで、アッという間に破たんした。その事に端を発して、日東食品などの大会社が次々と破たんした。生命保険の世界でもついに1997年（平成9年）4月の日産生命の破たんを皮切りに、東邦生命、

第百生命、大正生命、千代田生命、協栄生命、東京生命と7社が破たんし、最近では2008年（平成20年）10月に大和生命が破たんした。

　破たんした生保会社が総て「漢字系」であるのも象徴的で、消費者として、何かを感じないだろうか。今や生命保険会社に関しては、「大きい会社」「有名な会社」というのは、信用の基準として何の役にもたたないと考えた方が、正解だ。漢字系生保各社の1世紀にわたる古い体質は一朝一夕には改善されず、おそらくこれからも永久に不変と思われる。

　それは、破たんして外資系に吸収された会社が、社名がカタカナになっても、中身の体質は全然変わっていないことからも分かる。

「格付け」の信頼性

　「格付け」が注目されるようになってから、生保会社でもパンフレットに格付けの記号を載せるようになった。格付けは最上級の「ＡＡＡ（トリプルＡ）」から始まって、最下段の「Ｃ」（危険度大）まで9段階（格付け会社によって、表示と段階に差がある。ここに記載した格付けは、㈱日本格付研究所の評価である）に分かれるが、上位の格付けであっても、生保会社の場合は信用してよいのかどうか、大いに疑問に思える。

たとえば朝日生命は「ＢＢ」(保険金支払い能力は当面問題ないが、将来まで確実であるとは言えない)という評価になっているが、筆者の見るところ、3段階下の「ＣＣ」(保険金支払不能に陥る危険性がある)という評価ではないかと思う。
　筆者が、なぜそう思うのか。理由がある。
　その内容は第5章❹で詳しく解説するが、簡単にここで触れれば、「将来、契約者に支払うための積立金(積立てが法律で決められた責任準備金)を、満足に積み立てられない」状態が、朝日生命だけではなく、漢字系生保会社は何年も続いているからだ。
　普通の会社なら朝日生命に限らず、こんなに長い間債務超過(赤字)続きなら、もう、7～8年前に倒産していてもおかしくない。これは朝日生命1社に限らず、範囲を広げて考えれば、漢字系全社に言えることだ。
　ダメな会社がダメでないような格好をして営業を続けているのは、善意の被害者を増産しているだけだ。
　このように、漢字系の生保のうちの何社かは、内容的には、もう、5年も10年も前に倒産(破たん)していると思えるが、なぜつぶれないかは、多分、日銭が入ってくるから自転車操業で、としか言いようがない。どこまでしのいでいけるのかが心配だ。

「格付け」の類型と実態

　「格付け」には、実は２種類の方法がある。
　一つは、「格付け」のランクを欲しい会社が格付け会社に自社の資料を提出して、その資料を元にランクを決めてもらう「依頼格付け」と、もう一つは、格付け会社が勝手に会社を選んで、入手した資料を元に格付けランクを決める「勝手格付け」だ。
　生命保険会社の場合はどちらなのか分からない。
　「格付け」がどちらであろうと、最初に破たんした日産生命のときには、破たんまでに同社が公表していた債務超過額は約525億円ということだった。
　ところが破たんした直後に分かった本当の損失額は、それまで発表されていた金額の実に3.53倍の約1,853億円だったことが明るみに出た。
　当時、監督官庁の大蔵省（現・金融庁）は、すでに４年も前から大幅な債務超過を把握していながら、何でも先送りする体質と、何でも隠す生保業界のタッグマッチで、国民は何の危機も知らされずにある日突然の破たんを迎え、加入者は多大な損失を被った歴史がある。
　最近破たんした大和生命でも、債務超過額は111億円と発表されていたが、精査したら実際は700億円以上だったという事実がある。このように漢字系生保の数字の発表はデタラメで、どこまで信じれば良いのか、分

からない。

日産生命が破綻した時、契約は受け皿会社の「あおば生命」に移転させられ、

> ① 高利率だった既契約の予定利率は、一律に2.75パーセントに引き下げる。
> ② 保険金・年金の支払額は、**最大72パーセント削減**する。
> ③ 既契約の保険料は、従来どおり収受する。
> ④ 既契約の解約返戻金は、1年目は15パーセント削減し、順次、削減額を減らして8年目以降は0パーセントとする。

というような、無法ともいえる内容が決まった。それ以降、生保（漢字系）会社がつぶれるたびに、同じような処理で加入者は多大な不利益を被ってきた。

今、生保各社の「格付け」のランクを見ると、どの会社の格付けを見ても、信用度に特別の問題があるような格付けは付いていない。しかしかつて破たんしてきた生保の格付けも、不安をかき立てるような格付けではなかった。

ということは、正直なところ、格付けはあてにならない、ということだ。

筆者は格付けを見るとき、いつも3～4ランクぐらい下のランクが、その会社のランクだと思って見ている。その方が、より安全だと思う。特に最近の世界的な金融

関係の格付けが投資の過熱化を呼び、それが破たん時の投資家（機関投資家・個人投資家とも）の巨大な損失を生む土壌となっていることから、格付けそのものを厳しく規制する動きも見られる。このことからも、「格付けは、あまり信用するな」という教訓であると思ってよい。

「ソルベンシー・マージン比率」の実態

次に「ソルベンシー・マージン比率」※の数字であるが、200パーセントを超えていれば、その会社は安心だ、という神話が生まれてしまった。

（※ソルベンシー・マージン比率……保険金に対する「支払い余力」という意味。具体的には、純資産などの内部留保と有価証券含み益などの合計（ソルベンシー・マージン総額）を、数値化した諸リスクの合計額で割り算して求めた数字）

しかし、そのソルベンシー・マージン比率も、公表されるようになったのは1998年（平成10年）3月期決算からで、それまでは非公開だった。

同年4月からは、劣後ローン等の反映されない「実質資産負債差額」を監督庁の発動新基準に採用したためか、その後の1999年（平成11年）6月に東邦生命が破たんし、2000年（平成12年）2月には第百生命に業務改善命令（不適切な劣後ローンによる比率のかさ上げの発覚）が出され、同年3月には大正生命に資本の増強を求め、同年5月には第百生命が破たん、同年8月には

大正生命が破たん、同年 10 月には千代田生命と協栄生命があいついで破たん、続いて翌年 3 月に東京生命が破たんという、前代未聞の連鎖破たん劇が繰り広げられた。そして 2008 年（平成 20 年）10 月には大和生命が破たんした。これらの会社のソルベンシー・マージン比率も、東京生命が公表していた数字は 370 パーセントだったが、新基準では 190 パーセント、千代田生命の公表値は 263 パーセントだったが新基準では 158 パーセント、協栄生命のそれは 210 パーセントだったが新基準では 110 パーセントと、信頼できない体たらくだった。大正生命に至っては、保険会社の体制になっていない 67 パーセントと公表していたが、新基準では 50 パーセントという低さだった。

　このように、生保会社のデスクロージャー（情報開示）はお粗末で、信頼できない。
　「格付け」のランクや「ソルベンシー・マージン比率」の数字を信頼していたために財産を削られ、どれだけ多くの人々が涙を流してきたことか。泣くのはいつも民衆で、ぬくぬくと他人のお金でマネーゲームをしていた保険会社のホワイトカラー族は、金をかけた贅沢な福祉施設に恵まれ、高額の給料や退職金をもらって一円の損もしないのである。保険のおばちゃんでも、定年時の退職金が 4,000 万〜 5,000 万円という話もある。
　筆者が「格付け」と「ソルベンシー・マージン比率」の二つを信用するな、と言うことが、理解いただけたと思う。

2 責任準備金とは何か

契約者への将来の支払いのため、
義務化された積立て

法律で義務づけられたもの

　生命保険会社は、人の生命・身体の保障をして、被保険者が死亡または高度障害または入院や手術を受けたときに、契約した保険金・給付金を支払う契約を引き受ける。契約者はその対価として、保険料を支払う。

　このように保険会社と契約者の間には金銭の行き来があるので、保険会社は将来の支払いをするために、その準備としてある程度のお金をプールしておかねばならない。このプールしておくお金のことを、「責任準備金」と言う。法律で積み立てることが決められている。

　「責任準備金」をどのくらい積み立ててプールすればよいかは、保険への加入者の年齢・性別・加入する保険の種類・保障期間や積立方式（純保険料方式か、チルメル式か）などのファクターによって異なってくるので、一概にはいくらと言えないが、それなりの額の積立てを、

法律で求められている。

　たとえば大ざっぱに言えば、掛け捨ての〔定期保険〕なら、収受した保険料のうち、約8割は会社の費用として費消してもよいが、とか、貯蓄性の〔養老保険〕や〔終身保険〕や〔学資保険〕では、収受した保険料の約8割は積み立てなさい、とかいう具合だ。

　この積み立てるべきお金を会社が積み立てていなければ、その会社は将来の保険金・給付金の支払いに困ることになる、という図式だ。

経営状態の重要な指標

　この「責任準備金」の積立てをいくらしているかは、毎年の決算の中で公表されている。

　過去の歴史を見ると、かつて7大生保の一角と言われていた千代田生命は、破たん直前の責任準備金の積立額は、その年度（1999年〈平成11年〉）の保険料収入のわずか2.33パーセントしかなかった（ちなみに、その前3年間の積立ても、毎年1パーセントにも満たなかった）。

　中堅どころであった東邦生命の責任準備金積立額も、破たん前4年間は、各年度の保険料収入の0パーセント台でしかなかった。つまり将来契約者に返すために積み立てておかなければならないお金に手を出して使ってし

まい、その挙げ句に、破たんという道をたどった。

このように見ると、「責任準備金」という名前の意味合いと重さが、読者諸氏にもお判りいただけると思う。

あなたが加入している保険会社は、将来、あなたに支払ってもらうための責任準備金というお金を、安心できるだけの額で積み立てているであろうか。生命保険のような将来を託す商品・制度を買うなら、ぜひとも調べる価値はある。

もしかしたら、あなたが加入している保険会社は、入ってくる保険料から責任準備金を積み立てずにどんどん使って消えてしまい、今までに破たんした会社と同じように、「後は知らないよー」という会社ではないのだろうか。注意して見る必要がある。

極端な言い方をすれば、法律で積立てが決められている「責任準備金」を積み立てずに使ってしまっている、ということは、背任ともとれるし、法律的にも司法にゆだねるべき事柄だと思う。監督官庁がこの問題をどう捉えているのか、ぜひとも知りたい。

また、筆者が実際に国会議員にこの件の追及を依頼しても、腰を上げてくれない。理解できない不思議な現象だ。

このような現状を見ていると、この国では「自分の身は自分で守る」ということがますます大切だと思うのだ。

生命保険契約者保護機構はあてにするな
契約者を煙に巻く機構

生保の破たんは珍しくなくなった

　誰でも、自分が加入している生命保険会社が、経営的に安全なのか危険なのかは大いに関心のある事だ。

　生命保険会社は、毎年決済を発表しているが、総資産48兆1,352億円、年間の保険料収入4兆8,900億円といった、庶民の生活から遠くかけ離れた数字の羅列は、全く理解の外だ。アリがゾウの身体の一部を触っても、全体像が分からないのと一緒だ。

　では、私達消費者は、生命保険会社のどこを見て優劣を判断すればよいのだろうか。

　かつては「大きいことはいいことだ」「寄らば大樹の陰」と会社の規模を判断の基準にしたり、「有名だから」「常に宣伝しているから」と、知名度を信用度に置き換えてきた傾向がある。

　しかし昨今の産業界・経済界を見渡してみると、世界

的企業であるあのGM（ゼネラル・モーターズ）を含めた3大自動車メーカー（ビッグ3）でも苦境に立たされているし、日本でも知名度の高かった銀行・証券会社・食品会社・保険会社が次々と破たんしたのは、記憶に新しい。

　日本の生命保険会社が破たんするときは、ほとんどが週末（日産・東邦・協栄・東京・大和の各社）か、月末（第百）または連休中（千代田）に発表される。これは契約者に手も足も出させない作戦で、汚い（唯一の例外？は大正の週明け）。

「生命保険契約者保護機構」とは

　生命保険会社が破たんしたら、「生命保険契約者保護機構」という機関が、契約者の責任準備金の9割まで保証する、という説明を保険屋さんから受ける。本当にそうなのだろうか。

　その責任準備金が積み立てられてなく、その会社が使ってしまっていたら、どうなるのだろうか。その点になると、明確な回答はどこからも得られない。

　唯一の答えは、上記のように保険屋さんが説明する「生命保険契約者保護機構」の基金を使って、契約者を救済することだが、今まで破たんしてきた保険会社に加入していた契約者が、言葉どおりに救済されてきただろうか。

いや、そんなことはウソっぱちだ。

「責任準備金」とは、正確ではないが「解約返戻金」という言葉に置き換えると理解しやすい。

解約返戻金は、掛け捨ての〔定期保険〕ではほとんど無いか、少ない。しかも原則的に「掛け捨て」であるから、保険会社が破たんしたとき、何も返ってこなくても仕方ないとあきらめもつく。

これに対して貯蓄性の高い「養老保険」「終身保険」「学資保険」「個人年金保険」では、貯蓄性という意味合いからも、破たん時に説明のとおり「責任準備金の９割」まで保証されるのなら、それらの保険の契約者には約束通り９割の解約金が返ってきてよいはずだ。

しかし実際には、今まで破たんした生保ではこの約束が守られたことは一度もなかった。約束は単なる幻想にすぎない。

たとえば破たんした東邦生命の契約の処理を振り返ると、保険業界が言う約束事と全く反対で、掛け捨ての「定期保険」の解約返戻金はほぼ100パーセント保障され、逆に貯蓄性の高い、解約返戻金が多いはずの〔養老保険〕〔終身保険〕〔学資保険〕などは、約６割もカットされたものもあった。９割まで保証というのは夢物語だった。

これでは約束と全く逆で、何が「９割まで保証する」だ、と言いたい。結局この事から分かるのは、〔定期保険〕では100パーセント保証することにしても、実質的に保険会社の負担は無いといってもよいほど軽く、破たん処理に必要な原資は、貯蓄性契約の解約返戻金から削ってしまえ、というやり方だったということだ。

この歴史から見ても、今後破たんする生保の場合、前

例にならって貯蓄性保険は削減率が高く、多くのお金をふんだくられる、と思って間違いない。

「一時払い」の注意点

　もう一つ、声を大にして注意を促したいのは、上の例を見ても分かるとおり、保険会社に多額の資金を預けるような契約（たとえば死亡保険にしても、あるいは年金にしても）で、保険料を「一時払い」（ドル建てでも同じ）で加入すると、その会社が破たんしたときは、解約返戻金を削減される率は同じでも、月払い、半年払い、年払いよりも支払った金額が多いだけに、損失も大きくなるということだ。これはぜひ知っておいていただきたい。

　近年、生保会社が盛んに「一時払い」を勧めるのは、万が一（?）破たんしたら、そのときの破たん処理の原資を「一時払い」で集めておこう、という意図も無きにしもあらず、と思うことも必要だ。

どの会社が危ないか

自分の身は、自分で守る

何を信じたらよいのか

　本章に入ってから、暗く嫌なことの解説が多くなった。
　言い方を換えると、そのくらい、今の生命保険会社（ここでは漢字系を指す）は不安定な状態の中に立っている。
　細い糸の上で綱渡りをしているようで、いつ、糸が切れても落ちてもおかしくない状態だと思える。
　一体どの会社が信頼できて、どういう保険が自分に必要なのだろうか、正確に調べる術が少ない。
　「いや、そんなことはない。インターネットで調べれば、保険の情報は豊富で、分からないことはない」という人が多いのも事実だ。では、インターネットのホームページで保険を調べて、本当に良い保険に入れるのか。
　今、インターネットで**「生命保険」**と入れて 検索 すると、実に驚くなかれ、約 11,300,000 件ヒットする（YAHOO!JAPAN, 平成 27 年 7 月）。

その多くが『自分が扱っている保険を売りたい』内容だ。中には「中立的立場で」と中立を売り物にしているものもあるが、【中立とは保険会社の立場でもないのと同時に、消費者の立場でもない、自動車のギアで言えばニュートラルで、前にも後ろにも進まない】ということだ。結局、消費者の立場ではない、ということだ。

最も大事な指標

では、生命保険会社を見分けるには、どうしたらよいか。

新聞や雑誌に載っている保険会社発表の数字は、あまりにもケタが大きく我々の生活から乖離(かいり)していて、理解の外だ。

そこで筆者はある一点の数字に焦点を合わせ、それを比較することで会社の経営姿勢を推し量ることにした。

その焦点は、積立てが法律で決められている「責任準備金」の、毎年の収入保険料に占める割合を見るということだ。

これは毎年、生命保険協会が発表する、「生命保険事業概況」の数字をもとに筆者が独自に作成したもので、1995年度から作成し始めて毎年追加改定している。

この表を見ると、各保険会社の懐具合が一目瞭然で、「巨大な会社だ」「有名な会社だ」ということは、今や何

の役にも立たないことが浮き彫りになっている。

　しかも注目に値するのは、今までに破たんした漢字系8社の破たん直前の数字と、残っている漢字系各社の最近の数字（積立率）が酷似していることである。表を見るかぎり、巨大会社といえども法律を守れないで、積み立てるべき準備金を何かに使っているのだろう。

　「基礎利益」の数字を上げても、そんなものは「ウソ利益」でしかない。こんな状態の会社の加入者は、先の長い生命保険を持っていて、毎月生命保険料を支払うのは、不安で仕方ないのでは、と思ってしまう。

　この表を見て、あなたがそれをどう感じるか、しっかりと数字を把握してほしい（生命保険協会「生命保険事業概況」より、国際保険総合研究所が作成。禁転載・有著作権）。

表の読み方

【1】会社の規模の大小は、その会社の経営状態とは関係ない。
【2】①＝収入保険料の欄は、A）順調に収入が伸びているか、B）ほとんど横ばいか、C）年々低下傾向かなど、業績の盛衰が読める。
【3】②の支払い金の欄は、①の欄と対比してみる。同年度で①の数字を超えた場合は、おおむね契約の解約件数が多い場合と見られる。
【4】③の欄は、法律で積立てが義務付けられている責任準備金を、ある一定の金額積み立てているかどうかを表している。①に対する率が低ければ、将来契約者に支払うべきお金を使い込んでいるのであり、その会社の経営状態は苦しいと見てよい。既に破綻した会社の積立率と比較してほしい。

保険料収入に占める責任準備金組入額・組入率

漢字系

会社名		2014年	2015年	2016年	2017年	2018年	2019年	6年間平均
日本生命	①	5兆3,371億	6兆0,809億	4兆6,473億	4兆4,884億	4兆7,751億	4兆5,261億	日本生命 29.56%
	②	3兆5,429億	3兆4,427億	3兆3,152億	3兆4,104億	3兆4,430億	3兆4,349億	
	③	1兆7,094億	2兆3,763億	1兆2,679億	1兆1,129億	1兆3,698億	1兆1,533億	
	④	32.03%	39.08%	27.28%	24.80%	28.69%	25.48%	
第一生命	①	3兆2,663億	2兆8,666億	2兆5,475億	2兆3,219億	2兆3,149億	2兆3,501億	第一生命 7.88%
	②	2兆3,242億	2兆5,370億	2兆1,776億	2兆1,148億	2兆0,683億	2兆0,367億	
	③	7,028億	2,091億	2,773億	1,663億	82億	82億	
	④	21.15%	7.29%	10.89%	7.16%	0.35%	0.35%	
明治安田生命	①	3兆4,084億	3兆3,578億	2兆6,158億	2兆7,194億	2兆7,708億	2兆5,933億	明治安田生命 18.20%
	②	2兆3,650億	2兆1,220億	2兆1,092億	2兆1,262億	1兆1,111億	1兆1,834億	
	③	9,542億	8,982億	3,236億	4,190億	4,656億	2,615億	
	④	27.80%	26.75%	12.37%	15.41%	16.80%	10.08%	
住友生命	①	2兆5,795億	3兆0,220億	3兆3,154億	2兆5,085億	2兆4,053億	2兆2,243億	住友生命 20.90%
	②	2兆2,219億	2兆3,938億	1兆9,309億	1兆9,206億	1兆8,958億	1兆8,322億	
	③	3,566億	4,032億	1兆2,858億	5,827億	4,414億	3,972億	
	④	13.82%	13.34%	38.78%	23.23%	18.35%	17.87%	
太陽生命	①	8,652億	6,571億	6,543億	5,119億	7,151億	5,936億	太陽生命 14.75%
	②	5,264億	5,571億	5,003億	4,849億	5,018億	5,046億	
	③	2,819億	398億	999億	8億	1,836億	434億	
	④	32.58%	6.06%	15.27%	1.60%	25.67%	7.31%	
大同生命	①	7,927億	7,489億	7,663億	7,908億	8,280億	8,180億	大同生命 26.66%
	②	4,816億	4,842億	4,745億	4,849億	5,018億	5,100億	
	③	2,312億	1,813億	2,047億	2,327億	2,590億	2,147億	
	④	29.17%	24.20%	26.71%	29.42%	24.20%	26.25%	
富国生命	①	6,431億	6,180億	5,744億	5,672億	5,256億	5,335億	富国生命 10.22%
	②	4,618億	5,586億	4,589億	4,723億	4,408億	4,134億	
	③	1,365億	93億	492億	446億	354億	814億	
	④	21.23%	1.50%	8.57%	7.86%	6.92%	15.26%	

①=保険料収入　②=保険金・給付金・解約金等　③=責任準備金組入額
④=①に対する責任準備金組入率

会社名		2014年	2015年	2016年	2017年	2018年	2019年	6年間平均
三井生命（大樹）	①	5,451億	5,501億	5,076億	6,945億	7,677億	6,677億	大樹生命 7.27%
	②	5,476億	6,574億	5,517億	5,621億	5,166億	4,494億	
	③	39億	1億	－－	1,122億	1,758億	312億	
	④	0.72%	0.01%	－－	16.16%	22.90%	4.67%	
朝日生命	①	4,059億	4,014億	3,837億	3,849億	3,967億	3,936億	朝日生命 0.08%
	②	4,515億	4,616億	4,559億	4,325億	4,123億	4,010億	
	③	－－	－－	－－	－－	－－	18億	
	④	－－	－－	－－	－－	－－	0.46%	
かんぽ生命	①	5兆9,567億	541億	5兆0,418億	4兆2,364億	3兆9,599億	3兆2,455億	かんぽ生命 0.00%
	②	8兆8,908億	8兆7,887億	7兆3,485億	6兆6,334億	6兆6,227億	5兆9,959億	
	③	14億	1億	－－	－－	－－	－－	
	④	0.02%	－－	－－	－－	－－	－－	

独立系

会社名		2014年	2015年	2016年	2017年	2018年	2019年	6年間平均
ソニー生命	①	9,140億	1兆0,280億	9,567億	1兆0,592億	1兆1,361億	1兆3,308億	ソニー生命 60.44%
	②	3,771億	3,453億	3,627億	4,232億	4,424億	4,976億	
	③	6,043億	8,134億	5,967億	6,383億	7,047億	6,942億	
	④	66.14%	59.67%	62.37%	60.26%	62.03%	52.16%	
オリックス生命	①	1,730億	2,021億	2,873億	3,045億	3,552億	3,868億	オリックス生命 10.93%
	②	637億	3,492億	2,754億	2,751億	1,963億	1,826億	
	③	750億	－－	－－	－－	－－	859億	
	④	43.35%	－－	－－	－－	－－	22.21%	
みどり生命	①	46億	53億	63億	75億	86億	95億	みどり生命 47.45%
	②	5億	9億	10億	10億	29億	44億	
	③	24億	28億	34億	41億	35億	29億	
	④	52.17%	52.83%	53.97%	54.47%	40.70%	30.53%	
ライフネット生命	①	84億	91億	98億	106億	121億	164億	ライフネット生命 36.28%
	②	11億	10億	15億	14億	20億	26億	
	③	35億	38億	36億	36億	40億	50億	
	④	41.67%	41.76%	36.73%	33.96%	33.06%	30.49%	

①＝保険料収入　②＝保険金・給付金・解約金等　③＝責任準備金組入額
④＝①に対する責任準備金組入率

会社名		2014年	2015年	2016年	2017年	2018年	2019年	6年間平均
楽天生命	①	327億	318億	313億	323億	297億	305億	楽天生命 7.68%
	②	102億	101億	95億	90億	97億	96億	
	③	ー	23億	31億	50億	40億	ー	
	④	ー	7.23%	9.90%	15.48%	13.47%	ー	

損保系

会社名		2014年	2015年	2016年	2017年	2018年	2019年	6年間平均
東京海上日動あんしん生命	①	7,766億	8,184億	8,667億	9,081億	9,067億	8,751億	東京海上日動あんしん生命 25.38%
	②	6,207億	7,011億	6,411億	5,197億	4,277億	3,962億	
	③	913億	46億	1,590億	3,231億	3,853億	3,849億	
	④	11.76%	0.56%	18.35%	35.58%	42.03%	43.98%	
三井海上プライマリー生命	①	1兆0,555億	1兆3,001億	1兆0,838億	1兆0,595億	1兆1,297億	9,509億	三井海上プライマリー生命 38.26%
	②	9,320億	5,987億	3,861億	5,637億	4,616億	5,460億	
	③	4,715億	4,249億	6,730億	3,552億	6,388億	ー	
	④	44.67%	32.68%	62.10%	33.53%	56.55%	ー	
損保ジャパン日本興亜ひまわり生命	①	3,807億	3,964億	4,195億	4,384億	4,444億	4,465億	損保ジャパン日本興亜ひまわり生命 38.34%
	②	1,780億	1,741億	1,743億	1,758億	1,798億	1,847億	
	③	1,234億	1,376億	1,599億	1,872億	1,806億	1,850億	
	④	32.41%	34.71%	38.12%	42.70%	40.64%	41.43%	
三井住友海上あいおい生命	①	4,431億	4,622億	4,802億	4,937億	5,216億	5,358億	三井住友海上あいおい生命 47.88%
	②	1,597億	1,708億	1,785億	1,843億	2,059億	2,175億	
	③	2,202億	2,303億	2,374億	2,477億	2,336億	2,321億	
	④	49.70%	49.83%	49.44%	42.70%	40.64%	41.43%	
フコクしんらい生命	①	1,553億	1,707億	743億	299億	518億	964億	フコクしんらい生命 29.77%
	②	562億	622億	571億	603億	960億	1,526億	
	③	1,057億	1,177億	288億	1億	13億	ー	
	④	68.06%	68.95%	38.76%	0.33%	2.51%	ー	
ネオファースト生命	①	38億	38億	47億	245億	1,811億	1,443億	ネオファースト生命 35.26%
	②	11億	12億	12億	14億	90億	74億	
	③	ー	2億	8億	142億	1,147億	1,052億	
	④	ー	0.52%	17.02%	57.80%	63.34%	72.90%	

①=保険料収入　②=保険金・給付金・解約金等　③=責任準備金組入額
④=①に対する責任準備金組入率

外資系

会社名		2014年	2015年	2016年	2017年	2018年	2019年	6年間平均
プルデンシャル生命	①	7,380億	7,930億	8,002億	8,590億	9,081億	9,621億	プルデンシャル生命
	②	2,308億	2,304億	2,102億	2,311億	2,781億	2,642億	
	③	2,804億	2,790億	3,223億	3,246億	1,167億	1,292億	
	④	38.00%	35.18%	40.28%	37.80%	12.85%	13.43%	29.59%
メットライフ生命	①	1兆7,476億	1兆6,313億	2兆2,857億	1兆7,867億	2兆1,221億	1兆8,223億	メットライフ生命
	②	1兆4,314億	1兆0,245億	8,017億	7,786億	7,439億	7,159億	
	③	3,814億	800億	7,222億	5,853億	1兆1,115億	1,263億	
	④	21.82%	4.90%	31.60%	32.76%	52.34%	6.93%	21.42%
エヌエヌ生命	①	3,429億	3,733億	オリックスに吸収				
	②	4,985億	3,895億					
	③	171億	ーー					
	④	4.99%	ーー					
ハートフォード生命	①	258億	オリックスに吸収					
	②	7,747億						
	③	ーー						
	④	ーー						
アクサ生命	①	5,489億	6,044億	6,191億	5,966億	6,079億	5,376億	アクサ生命
	②	4,881億	4,592億	4,044億	4,186億	3,924億	4,026億	
	③	840億	225億	1,420億	1,030億	107億	390億	
	④	15.33%	3.72%	22.94%	17.26%	1.76%	6.11%	11.19%
エスビーアイ生命	①	88億	57億	54億	82億	91億	121億	エスビーアイ生命
	②	194億	177億	149億	151億	103億	85億	
	③	7億	ーー	ーー	ーー	8億	ーー	
	④	7.95%	ーー	ーー	ーー	8.79%	ーー	1.48%
マニュライフ生命	①	8,017億	1兆0,171億	8,851億	9,440億	1兆0,602億	9,770億	マニュライフ生命
	②	5,046億	3,241億	2,870億	3,865億	3,271億	3,458億	
	③	15億	35億	638億	65億	120億	72億	
	④	0.19%	0.34%	7.21%	6.89%	11.32%	0.74%	4.45%

①＝保険料収入　②＝保険金・給付金・解約金等　③＝責任準備金組入額
④＝①に対する責任準備金組入率

外国の保険会社の日本支社

会社名		2014年	2015年	2016年	2017年	2018年	2019年	6年間平均
アメリカンファミリー（アフラック）	①	1兆5,316億	1兆5,333億	1兆4,399億	1兆4,439億	1兆0,602億	1兆4,129億	アメリカンファミリー 21.98%
	②	6,596億	6,596億	6,742億	7,026億	7,251億	7,435億	
	③	3,407億	5,009億	3,715億	3,146億	2,574億	72億	
	④	22.24%	32.67%	25.80%	21.79%	24.28%	5.10%	
チューリッヒ生命	①	133億	285億	372億	488億	618億	742億	チューリッヒ生命 3.68%
	②	49億	44億	53億	65億	90億	105億	
	③	2億	8億	10億	16億	18億	70億	
	④	1.50%	2.81%	2.68%	3.28%	2.91%	9.43%	
マスミューチュアル生命	①	4,689億	5,644億	3,229億	2,335億	日本生命に経営統合		
	②	1,723億	1,985億	2,226億	2,180億			
	③	3,242億	3,384億	1,056億	19億			
	④	69.14%	59.96%	32.80%	8.14%			
カーディフ生命	①	440億	467億	478億	550億	571億	601億	カーディフ生命 3.33%
	②	223億	1,369億	226億	258億	295億	319億	
	③	7億	11億	21億	21億	22億	24億	
	④	1.60%	2.36%	4.39%	3.82%	3.85%	3.99%	

破たん・破たん後外資等に吸収

会社名		2014年	2015年	2016年	2017年	2018年	2019年	6年間平均
T&Dフィナンシャル生命	①	2,977億	1,654億	809億	1,764億	1,278億	3,359億	T&Dフィナンシャル生命 22.64%
	②	3,413億	1,878億	1,334億	1,198億	1,030億	1,081億	
	③	14億	――	――	501億	267億	1,743億	
	④	0.47%	――	――	28.40%	20.89%	51.89%	
ジブラルタ生命	①	1兆3,666億	1兆2,348億	1兆1,364億	1兆1,179億	1兆1,272億	9,571億	ジブラルタ生命 17.36%
	②	8,843億	8,042億	6,607億	6,715億	5,640億	6,352億	
	③	6,792億	763億	3,664億	931億	1,522億	――	
	④	49.70%	0.39%	32.24%	8.33%	13.50%	――	

①＝保険料収入　②＝保険金・給付金・解約金等　③＝責任準備金組入額
④＝①に対する責任準備金組入率

破たんした会社の破たん直前の責任準備金の状況(一部)
※現在の各社の数値と比べてみてください

会社名		1995年	1996年	1997年	1998年	1999年	2000年	6年間平均
協栄生命 00年10月 破たん	①	9,438億	8,152億	4,475億	7,265億	6,268億	破たん	
	②	4,620億	6,756億	1兆1,287億	7,891億	7,225億		
	③	4,011億	35億	44億	24億	10億		
	④	42.49%	0.43%	0.98%	0.33%	0.15%		
千代田生命 00年10月 破たん	①	1兆1,075億	8,607億	7,802億	5,991億	5,130億	破たん	
	②	4,620億	1兆2,455億	1兆4,878億	8,441億	7,582億		
	③	1,306億	34億	26億	35億	120億		
	④	11.79%	0.39%	0.33%	0.58%	2.33%		
東邦生命 99年6月 破たん	①	8,127億	5,995億	5,211億	不明	破たん		
	②	8,597億	8,093億	1兆3,321億	不明			
	③	35億	20億	16億	不明			
	④	0.43%	0.33%	0.30%	不明			

①＝保険料収入　②＝保険金・給付金・解約金等　③＝責任準備金組入額
④＝①に対する責任準備金組入率

おわりに

　「はじめ良ければ、全て良し」「最初が肝心」という言葉通り、初めて入る保険が保険屋さんの言いなりだと、その人は、一生涯ダメ保険をつかまされ、何回も何回も保険屋さんの餌食となってしまう。初めて入る保険にどう向き合うかが、その後の保険との付き合いを決めてしまうようだ。

　自分は違うと思っている人たちの保険についても、筆者の研究所に数多く寄せられる保険の相談で、知り合い（友人・知人・親子兄弟・親戚・先輩・後輩・上司など）の世話で入った保険に、良い保険だと思えるものは、ただの1件も無かった。

　さらに、銀行の窓口や10社も20社もの保険会社の保険を扱っている代理店から入った保険にも、残念ながら良い保険は無かった。

　理由は簡単で、どちらも「ただただ、手数料が欲しい、それも少しでも手数料の高い保険を売りたい」というように、顧客の幸福よりも、売り手達の利益が優先しているからだ。

　生命保険に関しては、あまりにも問題が山積していて、幸福への道筋を見つけるのは至難の技だ、と思われているが、本書を熟読していただければ、並みの保険屋さんなど足元にも及ばない基礎的な知識を自分のものにできる。

　たとえば巨大会社の保険を頭から信じている人も、第5章④の「どの保険会社が危ないか」の表を見ていただくと分かるとおり、法律で決められた積み立てるべき「責

任準備金」を使い込んでいる状況では、正常な懐具合に戻るまでには、これからの少子化、加入者の減少などを考えると、契約の右肩上がりは不可能であり、むしろ右肩下がりの状態が続くことからして、まず、回復に20年～30年はかかるものと思われる。もしかしたら、あなたが生きている間には改善されないかもしれない。

生保各社はここ10年近くも困難な経営（特に漢字系）を続けているが、主要各社の2008年（平成20年）4月～12月の業績報告によれば、有価証券などの損失を穴埋めするため、準備金などの取り崩しを行うという。

その額は日生が4,700億円、第一が6,131億円、明治安田が2,599億円などとなっており、富国を除く8社が上記金額に匹敵する約1兆7,000億円も取り崩すという。

三井や朝日などは、取り崩す準備金も枯渇し始めているので、赤字になるとも報道されている。

準備金とは、将来契約者に支払うべきお金で「取り崩し」という表現で糊塗しているが、正直に言えば、「契約者に払うべきお金を使い込みます」ということだ。

それでも巨大会社、有名な会社の保険が良い、という人には「どうぞご勝手に。どうせあなたの懐だから」としか言いようがない。

こんな状態で契約者は安心していられるのだろうか。

大切なお金は、もっと大切に使おう。

さらに最近はTVコマーシャルで「○○生命はお客様本位に考えて契約内容の確認に訪問させていただいています」と宣伝している。

これは全くの「おためごかし（表面は人のためになる

ような言い方をして、実は自分の利益をはかること)」でしかない。

　これだけコンピューターが発達して契約管理を行っているはずなのに、一軒一軒顧客のところを訪問しないと確認ができないほど、お粗末な管理しかできていないのか、と言いたい。

　実はこれには裏があり、いかにも親切めいたTVの宣伝を後ろ盾に顧客のところへ訪問するのは「転換」を勧めるチャンスを作っているのだ。

　保険会社はあなたにお金を使わせたくて、いろいろと方法を考え出してくる。

　それ以上に、保険はお金を使うだけではなく、二度と取り返しのつかない年月も消費するのだということを、念頭に置いていただきたい。

　今のところ、最後の破たんは大和生命１社で済んでいるが、後続部隊として、実際には破たんのスタートラインを越えている会社が複数ある。

　あなたが、そのドロ船に乗っているのでなければよいが、もし、乗ってしまっていたなら、船をどう乗り換えれば賢いか、本書を役立ててほしい。

　一人でも多くの人をドロ船から救いたく、今日も相談者から寄せられる手紙を読み、掛けてこられる電話に耳を傾けている。

　一日でも早く良い保険にされるよう、心から祈りつつ……。

国際保険総合研究所

三 田 村　　京

三田村 京（みたむら・きょう）

　東京生まれ。長年勤務した大手生命保険会社を退職後、国際保険総合研究所を開設。徹底した消費者の目線で、生命保険のあり方を研究。正しい生命保険の考え方についての講演、指導、相談をはじめ、テレビ出演や新聞・雑誌執筆など多方面で活躍。「抱き合わせ保険」「アカウント型保険」「更新型」「転換」の問題点などを最初に指摘、後悔のない生命保険の入り方・やめ方のアドバイスを大胆・詳細に展開している。一般消費者からの保険相談も受けている。

　主な著書に、『あなたの生命保険 損か得か教えます！』『総改訂 失敗しない生命保険の入り方・やめ方』『こんな生命保険は今すぐやめなさい！』（以上、中経出版）、『知らないと大損 生保選び100の法則』（草思社）、『これで安心 あなたの生保』（日本評論社）、『生命保険で損する人、得する人』（幻冬舎）、『今、見直さないと生命保険は「紙クズ」になる！』（総合法令出版）、『生命保険で損をしたくないならこの1冊』『医療保険で損をしたくないならこの1冊』『個人年金を考えるならこの1冊』『生命保険の正しい教科書』『「安いだけ」の生命保険はやめなさい！』『告発！生命保険――あなたの保険、ひょっとして「転換」していませんか？』（以上、自由国民社）がある。

〔**本書のお問合せ先**〕

〒157-0061　東京都世田谷区北烏山3-14-31 烏山北31番館303
　　　　　　国際保険総合研究所　生命保険相談室・分室

電話番号　03-6279-6906／090-5393-3865

〔はじめの一歩〕

生命保険で損をしたくないならこの1冊
(せいめいほけん) (そん) (さつ)

2009（平成21）年　3月29日　初版発行
2022（令和4）年　9月28日　第6版第1刷発行

著　者　三田村　京
発行者　石井　悟
発行所　株式会社自由国民社
　　　　〒171-0033 東京都豊島区高田3-10-11　https://www.jiyu.co.jp/
　　　　電話 03-6233-0781（代表）
印刷所　新灯印刷株式会社
製本所　新風製本株式会社

©2022 Printed in Japan. 乱丁本・落丁本はお取り替えいたします。

○造本には細心の注意を払っておりますが、万が一、本書にページの順序間違い・抜けなど物理的欠陥があった場合は、不良事実を確認後お取り替えいたします。小社までご連絡の上、本書をご返送ください。ただし、古書店等で購入・入手された商品の交換には一切応じません。

○本書の全部または一部の無断複製（コピー、スキャン、デジタル化等）・転訳載・引用を、著作権法上での例外を除き、禁じます。ウェブページ、ブログ等の電子メディアにおける無断転載等も同様です。これらの許諾については事前に小社までお問合せください。また、本書を代行業者等の第三者に依頼してスキャンやデジタル化することは、たとえ個人や家庭内での利用であっても一切認められませんのでご注意ください。

○本書の内容の正誤等の情報につきましては自由国民社ウェブサイト（https://www.jiyu.co.jp/）内でご覧いただけます。

○本書の内容の運用によっていかなる障害が生じても、著者、発行者、発行所のいずれも責任を負いかねます。また本書の内容に関する電話での出版社へのお問い合わせ、および本書の内容を超えたお問い合わせには応じられませんのであらかじめご了承ください。